WITHDRAWN

TEORÍA DEL INFIERNO

SALVADOR ELIZONDO

TEORÍA DEL INFIERNO
Y OTROS ENSAYOS

EL COLEGIO NACIONAL
EDICIONES DEL EQUILIBRISTA
MÉXICO, 1992

Primera edición, 1992
© Salvador Elizondo, 1992
© Ediciones del Equilibrista, por la presente edición
ISBN 968-6285-54-7

Para Pía y Gonzalo

PRÓLOGO A POSTERIORI

Estos escritos fueron compuestos entre 1959 y 1972. La lectura y la experiencia de los últimos veinte años parecen subrayar sus errores y señalar sus deficiencias, pero también marcar algunas intuiciones que la autoridad o la crítica ulteriores han confirmado, y sólo en el caso del último ensayo —sobre los riesgos y, en cierto modo, la imposibilidad de la autocrítica— me siento justificado a darlos a un público que si ha leído, por ejemplo *The Pound Era* de Hugh Kenner, publicado en 1973 y leído por mí en 1985, no podrá menos que considerar mis juicios sobre Joyce y Pound o demasiado candorosos o demasiado apresurados, como lo fueron de pedantes y snobs cuando en su momento se publicaron en revistas literarias y suplementos culturales hace veinte años o más. Pero, en términos generales el público se acoge, hoy también, a esa norma al parecer invariable del gusto literario, que no tiene más remedio que calificar de pedante lo que no entiende y de snob lo que todavía ignora. Lo que hace treinta años era raro e incomprensible es hoy moneda de curso corriente en el ám-

9

bito no solamente de la crítica sino de las academias y de las universidades, y lo que entonces era revolucionario hoy se ha vuelto reaccionario cuando no clásico, o ha sido desechado como tentativa fallida y ridícula. Es ciertamente afortunado que entre las novedades de los últimos años, junto con el post-modernismo y la *Glasnost*, la nostalgia haya tomado un lugar aunque sea modesto entre las categorías de acuerdo con las cuales juzgamos hoy las obras o las ideas del pasado, asignándoles un valor que las revivifica y les otorga, a lo que parece, una nueva vida suplementaria puramente sentimental, con todas las limitaciones que eso tiene, sobre todo en el campo de las ideas.

El sentimiento actúa, casi siempre, contra la buena prosa y solamente sirve para la entonación más o menos emotiva, más o menos patética con la que se manifiesta en el texto. Muerto el arte de la conversación no sirve ya más que para evocar las cosas de las que solíamos hablar en otros tiempos y apenas uno que otro libro consigue concretar el tono de lo que se ha pensado en el curso de una conversación... o de una vida. Boswell es uno de los pocos que por la escritura ha captado la entonación intelectual de lo que decía el Doctor Johnson y su lectura produce la sensación de que Johnson, de hecho, hablaba igual que como pensaba y si Boileau recomendaba escribir como se habla tenemos el testimonio de Valéry para invalidar ese precepto hoy que ya no se habla tan bien como antes. Las cosas de este libro salieron de las conversaciones de la juventud. Su fijación por la escritura les da hoy una entonación equívoca, tal vez por ingenua, más pedante que la que tuvieron en sus orígenes. Si algo valen es por el entusiasmo con el que alguna vez fueron desarrolladas como temas de conversación. La lectura y, especialmente la relectura, me han hecho comprender que es casi imposible hablar de muchas cosas de las que aquí se escribe y escribir acerca de ellas si no imposible es muy arriesgado porque algún especialista mejor informado y más sensible se habrá tomado el trabajo de escribir bien sobre ellas. Hugh Kenner dice mucho mejor que yo las cosas que dije y sobre las que escribí hace treinta años. En el caso de Joyce, por ejemplo, pensaba entonces que la "traducción" de *Finnegans Wake* era posible; hoy pienso que es innecesaria; cuando escribí sobre los *Cantares* no conocía yo el Canto CXX que en pocas palabras y para los buenos entendedores los explica todos. En general, pienso que para su tiempo y el mío estos escritos aciertan en la misma medida en que el azar es una cifra de la creación y la crítica literarias; es decir, que aciertan más o menos.

Su reunión ha sido difícil pues había que dar preferencia al término positivo. No hubiera sido posible sin la intervención de un criterio imparcial pero riguroso; más riguroso y menos parcial que el de su autor, por lo que no me queda aquí sino agradecer a José Manuel de Rivas la ayuda desinteresada que me dio en la búsqueda, corrección, revisión y preparación de los materiales finalmente seleccionados; sin ella la edición no hubiera sido posible; a Diego García Elío, director de Ediciones del Equilibrista, y a El Colegio Nacional por las generosas facilidades que me da para su publicación.

11

TEORÍA DEL INFIERNO

Nadie puede negar que el infierno, como todas las cosas que somos capaces de concebir en términos de eternidad, ejerce una poderosa fascinación sobre la imaginación de los hombres. La noción de "infierno" sintetiza el carácter siniestro del mundo que nos rodea; es privativo de cosas como la carne y la tortura. Cuando nos recreamos imaginativamente en el horror, decimos que estamos imaginando infiernos. Pensamos también, aunque no tan frecuentemente como sería de suponerse, en infiernos trascendentales que es posible que nos esperen como consecuencia de actos específicos que hayamos cometido en la vida. Opera en ese momento la noción ética de castigo de la misma manera que opera cuando imaginamos los infiernos en los que habrán de caer nuestros enemigos o nuestros rivales y sentimos una placentera sensación al imaginar o constatar que aunque fuera parte de esa acción infernal, que hemos decretado en la imaginación sobre ellos, ya ha comenzado a manifestarse o a surtir efecto. Con frecuencia nos olvidamos de que en realidad lo que estamos haciendo cuando inventamos infiernos es atisbar o plantear nuestras propias posibilidades desde un punto de vista ineluctablemente contenido dentro de una esfera que no trasciende los límites del yo, las posibilidades inherentes al planteamiento de esa posibilidad como posibilidad de trascender los límites del yo propio. Si fuéramos capaces de conseguirlo accederíamos a la condición del verdugo, esa imagen aterradoramente especular de la víctima. Un reflejo, a su vez, de esa delectación misteriosa es la proliferación de concepciones particulares de infiernos con las que nos topamos a lo largo de la historia de la literatura, de la poesía, de la teología y, a veces —con su mayor grado de terror—, en la comprensión de la ciencia, en la interpretación de símbolos naturales...

Y es, de hecho, sospechosa la insistencia de ciertos filólogos a considerar el infierno como una *figura,* es decir como el ámbito tradicional de un estilo, sobre todo en el contexto de la apariencia del mundo barroco, por ejemplo. La actitud de Piranesi —particularmente en las *Prigioni*— da testimonio de infiernos estrictamente sonoros en el sentido de que es capaz de concretar una imagen en la que los espacios están concebidos única y exclusivamente en función de una resonancia dolorosa. La historia del infierno como figura es una de las más persistentes a lo largo de la evolución de la conjetura. Y es que el infierno, como el paraíso, están siempre modelados de la substancia de la que está hecha la hipótesis. Suponemos un infierno. Por eso todos nos hemos entretenido en imaginarlo. Suponemos un infierno, pero generalmente lo hacemos imaginándolo como un complemento necesario a la, más grata, concepción del paraíso. Y sin embargo siempre pensamos menos en el paraíso que en el infierno porque el infierno, inexplicablemente, excita más nuestras facultades intelectivas que nuestras sensaciones. El infierno es un hecho necesario a la preservación de nuestro cuerpo, sin embargo. La eternidad del infierno garantiza la eternidad de nuestro cuerpo en la medida en la que presuponemos que nuestro cuerpo es necesario al ejercicio de la acción del infierno. Una acción que se ejerce o que habrá de ejercerse estrictamente dentro de los límites del cuerpo, durante toda la eternidad.

Como invención, el infierno conjuga magistralmente dos concepciones bastante curiosas: en primer lugar la de eternidad y en segundo lugar la de una acción que se ejerce en sentido negativo a lo largo de esa eternidad. No nos vamos a detener a explicar la eternidad. Es sólo preciso asumirla e ilustrarla: la eternidad es al tiempo lo que el infinito es al espacio. Eso lo sabemos todos porque es absolutamente cierto. Esa eternidad es la interminable realización de un proceso que en todo momento está perdiendo su objetivo de disolución mediante una operación en la que únicamente puede intervenir el cuerpo. El dolor es algo que emana del cuerpo; es una de las substancias de los sentidos. Tal vez la más real de todas. La antigua avernología cristiana no concibe el infierno sino como una prolongación natural de las propiedades del cuerpo; "Un lugar de tormentos..." (corporales). Una substancia de la que en mayor o menor grado están hechas las sensaciones. Para poder imaginar infiernos nos basta con eternidad y cuerpo. Y en el orden de las figuras es posible de-

15

cir que el infierno es la forma que tiene la dimensión infinita del cuerpo.

Me parece importante subrayar la importancia que tiene el cuerpo en la conformación de lo que pudiera llamarse una tradición clásica de la concepción del infierno. Una concepción, por lo demás, en la que está implícita la noción de Yo que determina absolutamente todas las particularidades que nos individualizan del Otro. Me parece importante para recalcar la singularidad de ciertos fenómenos infernales aplicar a la concepción del infierno otro método; un método en el que nuestros propios intereses no estuvieran presentes. ¿Es posible formular una fenomenología del infierno? ¿Es posible concebir un infierno que no se conformara a los patrones tradicionales que permiten clasificarlos étnica o lingüísticamente merced a la proporción en la que esas constantes, el cuerpo y la eternidad intervienen en su formulación? Es un hecho comprobado, por ejemplo, que los rigores corporales aumentan en el infierno hacia el ecuador, y que simultáneamente se van volviendo más abstractos hacia el oriente. Tales concepciones, con ser aptas para ser concretadas mediante diversos métodos llamados "artísticos", adolecen de una falla que las vuelve sospechosas. Se fundan en una concepción dialéctica primigenia que presupone el placer como contrario del dolor, pero lo que hace suponer que esto no es necesariamente así es nuestra certidumbre de que cualquier tipo de dolor puede tener una proyección correlativa de placer, porque si no la tuviera dejaría de serlo. ¿De qué placer es el opuesto este dolor? La formulación de tal pregunta, para ser contestada en los términos de una psicología trascendental, desafía los límites del espíritu. La invención de infiernos ofrece todavía revelaciones asombrosas: en la medida en que pueden ser inventados infiernos que trasciendan esa medida compuesta de cuerpo.

La tradición clásica del infierno como ámbito de castigo y de tortura culmina en Occidente en uno de los momentos más altos de la poesía cristiana. La concepción dantesca está demasiado vinculada, sin embargo, a consideraciones de tipo histórico y de tipo lingüístico como para poder considerarla como una concepción pura de infierno. ¿Cuál es la substancia del *Inferno* que es común a todas las concepciones del infierno? Es posible deducir algunas de las constantes que conforman la función esencial del infierno de la definición que el propio Dante nos da en la inscripción, grabada sobre las puertas del Averno; palabras de color oscuro...

> *...Dinanzi a me, non fur cose create*
> *se non eterne...*
> *Lasciate ogni speranza, voi ch'entrate.*

Palabras significativas de esa tradición que concibe el infierno como un correlativo eterno del cuerpo. Hay, sin embargo, en esa misma inscripción una muy clara —aunque incomprensible— indicación acerca de los orígenes del infierno:

> *Giustizia mosse il mio alto fattore;*
> *Fecemi la Divina Potestate,*
> *La Somma Sapienza e il primo Amore...*

17

¿En qué sentido resumen estas palabras de Dante lo que hemos llamado la tradición clásica del infierno? Yo creo que la resumen en un sentido histórico. Todo el pensamiento medieval, que era mucho, aristotélico y muy profundo, se había detenido a preguntarse cuál era la causa primera del infierno de acuerdo a la tradición metafisicista en la que los teólogos lo habían inscrito desde su incepción. Todos estaban acordes en atribuir la existencia del infierno a un principio de necesidad del cumplimiento de la justicia divina, cuando la visión poética, tantas veces más real que la verdad misma de Dante, propone otro elemento: el amor. Con ello da origen a absolutamente toda la cultura europea moderna, que es una cultura que gira en torno al ideal amoroso; en torno al ideal amoroso del amor ideal. El platonismo ilumina las concepciones trascendentales del Renacimiento que inconscientemente —de un modo que parece manifestarse con mayor claridad a la filología que a la historia de las ideas— incorpora, en el habla nueva, la noción dantesca del amor como una forma cognoscible idealmente:

O voi ch'avete inteletto d'amore...

El infierno, después de Dante, se convierte nuevamente en lo que había sido como mito de la edad clásica; su concepción invoca ya siempre la figura de Orfeo. En la medida en que Dante resucita el mito clásico de Orfeo es el iniciador del Renacimiento. Un mito que se repite a lo largo de la tradición literaria de Occidente, en la leyenda del Doctor Fausto,

18

una tradición que data de la Edad Media tardía pero que sólo la "literatura" habría de concretar en obras sobre el tema como las ya muy conocidas de Marlowe, Calderón, Goethe, Thomas Mann.

¿Qué es el descenso a los infiernos?

El descenso a los infiernos tiene dos significados conjuntos. Convoca, por una parte, la figura de la mujer (Orfeo desciende a los infiernos en busca de Eurídice). Por otra parte convoca la imagen del cantor lírico que desciende al Averno en busca de un don que lo hará acceder a la divinidad mediante el sacrificio; para acceder a una condición poética superior. El poeta se sacraliza descendiendo a los infiernos. Esta imagen se vería recalcada a partir del Romanticismo, culminando su expresión formal en la idea del "poeta maldito" tan reiterada a partir de la segunda mitad del siglo XIX. No olvidemos, a ese respecto, el título sugestivo de lo que es, posiblemente, el más ilustre texto de la decadencia romántica. No es Rimbaud, ciertamente, quien reside al margen de la infernalidad de todo lo real. Acaso se le asocia en vano con un mundo plutónico cuando él mismo se llama "un condenado" ante Satanás, en el mismo tono en el que Baudelaire dice que

Sur L'oreiller du mal c'est Satan Trismegiste
Qui berce longuement notre esprit enchanté...

El descenso a los infiernos es, también, un privilegio inherente a los atributos mágicos alcanzables. El cantor se convierte en mago; el sabio se convierte en profeta y el poeta en dios mediante el conocimiento del terror. Una operación del espíritu francamente avalada por una imagen necesaria a la continuidad del mito: el sacrificio del dios que consiste en encarnar y luego morir y luego descender a los infiernos. El dios desciende a los infiernos siempre, para asegurar la continuidad o para perpetuar el mito mediante el cual su presencia se manifiesta como expresión del habla, es decir cuya existencia es una condición necesaria a la del habla que la expresa, tan claramente, por la poesía.

Pero toda consideración acerca del infierno fundada en las concepciones "literarias", adolece naturalmente de los límites que su propia condición de conjetura imaginativa le confiere. Y más que de una conjetura estrictamente literaria, se trata de la expresión de una posibilidad de la que el observador podría llegar a ser el objeto. Es un infierno que sólo puede ser concebido desde ese punto de vista cuya objetividad siempre está contaminada de terror; del terror de nuestra propia posibilidad, desde nuestra condición de posibles víctimas, asociando a esta condición el paliativo de una solidaridad que supone una idea que inadecuadamente informa la mayor parte de nuestras concepciones del infierno: sobre todo la de que se trata de una *comunidad* de condenados. Ese solo hecho bastaría para invalidar el carácter absoluto que necesariamente tendría que tener ese establecimiento conjetural, ya que excluiría de sus posibilidades de operación la sensación de soledad que en la jerarquía de los tormentos de un infierno clásico necesariamente ocuparía un grado más alto que el de cualquier tortura cuya experiencia se tendría forzosamente que concebir *compartida,* es decir menguada en su totalidad esencial; es decir suprimida, pues todo dolor compartido se convierte, en la medida en que disminuye, en un placer.

Pero... ¿cuál es el mecanismo mental que ha hecho suponer a los hombres, invariablemente, desde sus orígenes más remotos (y ya desde entonces aparece como condición mental del existir la idea del infierno) que tanto éste como el paraíso son ámbitos de la sensibilidad?, ¿en qué se funda la idea —por demás contradictoria— de que tanto el infierno como el paraíso invocan necesariamente un ejercicio exhaustivo de los sentidos para su cumplimiento? No son pocos los avernólogos que han sostenido que uno y otro no son sino una multiplicación infinita de los sentidos sometidos a la experiencia del placer o del dolor, según sea el caso, ¿y cómo puede resultar congruente semejante hipótesis si faltaría para su comprobación, allí donde se realiza el hecho conjeturado, justamente esa estructura, el cuerpo, en la que los sentidos se asientan? Yo no puedo sino atribuirlo a un afán de eternidad del cuerpo que es la mejor demostración de la vida. Deseamos apasionadamente la continuidad del yo; pero atribuimos a este núcleo vital más los caracteres de la sensibilidad que los de la conciencia. Llegamos, inclusive, a sostener una convicción inconmovible acerca de ello y decimos: el infierno es el testimonio de nuestra eternidad; para eso está el infierno —decimos—: para que nosotros seamos eternos.

Pero ese ejercicio espiritual o mental que consiste en conjeturar trasmundos infernales o paradisíacos puede también ser objetado o admitir innumerables variantes, pues ¿qué índole de infierno sería aquel que satisfaciera el más apremiante de nuestros deseos?, ¿qué índole de infierno sería aquel que al lado de los tormentos de los sentidos nos produjera el más alto goce ontológico y nos diera la prueba más contundente de nuestra condición divina?, ¿qué serían todos los dolores juntos al lado del goce de sabernos eternos? Y por otra parte, ¿cómo podría ejercerse sobre nosotros la acción simple y sencillamente dolorosa que el infierno ejercería sobre nuestros sentidos si de antemano careciéramos de la facultad de saberla actuando sobre nosotros, es decir de sabernos yo, de sabernos eternos?

La evolución de la idea del infierno no es un índice menos significativo de la evolución del pensamiento occidental que la evolución de las ideas de *tékhne*, de *figura* o aún de la idea, es decir como una idea inherente a la *historia espiritual* del Occidente. Esto se debe a que la historia espiritual de Occidente ha de ser concebida necesariamente en términos de absoluto. Ése es un presupuesto de la cultura misma que define al Occidente como una idea distinta del Oriente. Occidente es el aspecto dialéctico de la historia espiritual del hombre; la imagen que comporta y que se sustenta en la idea de que existe el reflejo y lo reflejado. ¿Y la idea de espejo?... ¿qué significa?... ¿cuál es el dios que da testimonio de esa invención?... ¿a quién, si no al diablo, atribuye la historia de las ideas la fabulosa conjetura de los mundos especulares? La literatura de Occidente se complace en atribuir todo lo inexplicable —pero se trata, también, de una de las grandes figuras de esa literatura— a los chinos, al Emperador Amarillo, ese personaje fabuloso de la literatura europea. Pero el carácter milagroso del espejo no desdice de su efectividad como figura preponderante en la cultura de la cuenca mediterránea. ¿Quién diablos inventó el espejo? —decimos. Lo más fácil sería contestarnos que fue Demócrito para la época helenística (aunque no se puede negar que todo el pensamiento post-socrático está fuertemente impregnado de dialéctica, cuando menos en su aspecto metodológico) y que Lucrecio hace derivar ese aspecto dual de los elementos primeros de la constitución del mundo hacia una concepción del mundo esencialmente de antagonismo atómico; un antagonismo también fundamentalmente dialéctico. Pero todo arranca de la invención del espejo. Una invención esencialmente griega; específicamente platónica.

Cuando Platón propone un mundo ideal de arquetipos del cual éste no es sino un reflejo imperfecto, está proponiendo, también, un espejo sobre el que ese mundo perfecto se refleja. Ese espejo es la mente que a partir de entonces ya sólo habrá de pensar el mundo como una conjunción de formas desdobladas. El reino de Hades que en el mito griego no era sino uno de tantos reinos trascendentes que componían el cosmos, al igual que los de Zeus y de Poseidón después de la mítica caída de Cronos, rey primigenio y absoluto de todos los mundos originales, toda la cosmología filosófica judeocristiana se verá contaminada de la idea de que al mundo superior corresponde un mundo especular inferior, y si para Platón el mundo inferior es el mundo real de los sentidos, para la teología medieval el hombre mismo se convierte en el gran intermediario entre el cielo y el infierno; el hombre que entonces será llamado, en el ideal de sus aspiraciones más altas, *speculum mundi,* el foco en el que los dos mundos se coyuntan.

Ese hombre es el que emerge de la oscuridad de la Edad Media, después de que la lengua de Europa ha fraguado en el crisol dantesco, investido de todos los trasuntos de la leyenda imprecisa sobre la relación entre el alquimista docto y el diablo, el escenario dramático donde la leyenda órfica se representa en romance, en virtud de que el personaje concreto que faltaba en la tragedia ya ha sido perfectamente inventado. Lo que había sido el *daimon* del mito, el demonio fatal o misterioso de la religión o de la tragedia griega, se ha convertido ya en el Diablo satánico, que desde el ámbito de fuego de los infiernos morales o moralistas del cristianismo ha entrado en contubernio con la sabiduría y el conocimiento del Doctor Fausto como regidor de una fatalidad que constantemente habrá de estar en conflicto con el otro *daimon* que se refleja en la mirada especular del hombre: el dios celestial. El espíritu ha experimentado allí una metamorfosis que en todo alude a la similitud entre todos los mitos que asimilan la posesión del conocimiento, la cifra del canto o la realización del amor a ese movimiento descendente que pone al hombre en contacto con los demonios, con esa gravitación que lo hace caer hacia las regiones infernales. El mito de Orfeo reverdece en las leyendas que envuelven la vida secreta de Leonardo da Vinci, y el hombre del Renacimiento con su fenomenal sincresis se ha convertido en el campo de batalla donde luchan denodadamente, después de los milenios de la claridad místi-

24

ca del cristianismo medieval, los dioses subterráneos contra los dioses celestiales. Así como el infierno garantiza la eternidad de la vida, el Diablo da testimonio de la presencia del dios ante el espejo que es el hombre.

El nacimiento de la conciencia crítica de la cultura en Europa coincide con la primera formulación de un infierno netamente europeo, esencialmente político, en lengua moderna. El infierno se convierte entonces en un *instrumento* de su hermana, el habla. La literatura de Occidente es la descripción del infierno. El mito órfico sigue presidiendo sobre la tradición poética. El poeta es uno de los trozos del cuerpo de Orfeo que las mujeres de Tracia arrojaron a los cuatro vientos, y es el occidental el que siempre se está preguntando si no habrá hecho, inadvertidamente, un pacto con el diablo. La idea del "genio" —en oposición a la del "santo" oriental— ha contribuido en una medida considerable a mantener vigente la tradición de que los literatos tienen acceso, aunque sea temporalmente, a los infiernos y se tratan familiarmente con los diablos, como si fueran personas de la misma especie. Esta tradición culmina en el siglo XIX con la concepción del poeta satánico a lo Baudelaire. Una concepción que, por lo demás, no rebasa nunca los límites de un criterio literario fundado en la comunicación explícita entre "escritor" y "lector". Ambos polos del eje que es la literatura se reducen cada vez más. La velocidad del aumento de población sobrepasa con una ventaja insalvable —según la aporía de Zenón— la velocidad de distribución de los libros. La velocidad de la evolución del lenguaje literario es también, cuando menos en Occidente, infinitamente superior a la del habla corriente. Se han concebido infiernos literarios en Occidente a los que el habla corriente no accederá sino dentro de siglos: infiernos lógicos, infiernos matemáticos, infiernos lógico-matemáticos, infiernos subjetivos e infiernos reales, infiernos siempre por venir, infiernos nunca pasados, infiernos ilusorios, infiernos ilusorios inolvidables, infiernos de objetivización o de objetividad, infiernos imposibles o de dos dimensiones e infiernos que son como saloncitos burgueses con servicio de té.

La historia de la concepción del infierno parece correr paralela a la de aquello que Borges ha llamado "la historia de la eternidad" donde reúne, aunadas a su propia refutación y reseñándolas sumariamente, las principales formulaciones que la metafísica ha hecho acerca del tiempo y de la eternidad. Es fácil comprobar que a cada una de ellas corresponde un infierno específico y que todas responden naturalmente a la concepción de Berkeley sobre la existencia ideal y subjetiva del mundo. Y también emana de ella, con mayor certidumbre que de cualquier otra, la idea de que el infierno existe porque pensamos en él, la idea de que existe un número infinito de infiernos subjetivos y la idea de que cuando pensamos en el infierno, no sólo estamos en él, sino que también *somos* ese infierno. Es la literatura la que a fin de cuentas se encarga de concretar y de perpetuar la validez de la metafísica. Dante es la culminación de la escolástica, pero es también el nacimiento de nuestra lengua y nuestra literatura. La conciencia cultural del Yo, producto del avance de la psicología filosófica durante el siglo XIX, permitirá ya la versión definitiva del infierno mental literario en la obra de escritores como Leon Bloy o Dostoyevski, de la misma manera que los avances continuados de la lingüística filosófica permiten, en la primera mitad del siglo XX, producir ya un infierno lingüístico puro: el *Finnegans Wake*. En ese sentido puede decirse que nuestra idea del infierno es de hecho un índice cultural. Tanto más que las grandes concepciones del infierno parecen ser casi siempre una especie de *Summa* de la sensibilidad; subrayo en ese orden el nombre de la obra de James Joyce no sólo porque la considero animada por un designio trascendental, similar al que es fácil descubrir en la *Divina Comedia,* sino también porque es la concepción de un infierno estrictamente verbal. Pero entre la concepción primigenia del Dante y la de Joyce median innumerables ejemplos de formidables concepciones del infierno que a justo título tienen un lugar eminente en la historia de la literatura particular que las ha producido, y resultaría obvio que para ilustrar esta afirmación citáramos obras como los *Sueños* de Quevedo en las que el infierno tiene un carácter notablemente ejemplar y está claramente construido con figuras de "ingenio", oxymora y agudezas: mármol de las canteras de Gracián a la luz de *Las meninas;* una luz, también, que es producto de un sistema óptico infernal y de una retórica diablesca; o como *El matrimonio del Cielo y el Infierno* de Blake, en el que se concreta ya la visión de un infierno suntuoso y correlativo, no antagónico, de un cielo bucólico y necesario; un infierno que tiene el esplendor que tienen algunas escenas pintadas cien años después por Gustave Moreau; pero si se mencionan estas obras es porque son la evidencia de esa continuidad que trasmina los límites de las diferentes regiones del arte, y porque no existe una obra literaria que no pueda ser ilustrada con una obra pictórica. Interesa analizarlas aunque sea sumariamente para ver si es posible establecer su común denominador. Doy por sentado el hecho de que el carácter infernalicio de una obra de cualquier género literario o artístico es inconfundible y evidente, y lo que me propongo averiguar es qué es lo que la distingue y patentiza. Puedo escoger al azar e invoco tres obras famosas de la pintura: el *Infierno musical* del Bosco, las *Prigioni* de Piranesi y las arquitecturas y perspectivas de Galli-Bibiena, y encuentro que a pesar de su disparidad alienta en ellas un elemento común: no es una particular concepción del espacio, ya que ésta no sería común sino a los dos últimos, pues el infierno del Bosco no es un infierno espacial o lo es en una medida muy diferente. En la medida en que el espacio es la condición de toda hipótesis, inclusive de aquella que lo postulara como inexistente, como sucede en el caso de los grabados de las perspectivas teatrales de Bibiena. Son, en sentido estricto, "figuraciones" de espacio. Infernales en la medida en que se proponen como paradojas de un infinito, de un espacio interminable; sensación que se experimenta en mayor o menor grado ante algunos paisajes de Brueghel el Viejo, pero que yo, personalmente, he experimentado en grado máximo ante los misteriosos grabados al aguafuerte de Piranesi en los que el espacio infinito se postula con una cualidad aún más inquietante: la de su absoluta inutilidad; su gratuidad más vasta. El infierno musical del Bosco es un infierno de formas; es decir: sensual. No desmerece en nada ese infierno al que Quevedo prodiga tantos elogios en sus *Sueños*. En mucho concuerdan; sobre todo, en el lenguaje en que están dichos; tienen, en el fondo, la misma intención satírica, y vivir en un infierno donde fuéramos satirizados ya sería horror suficiente. Pero en el infierno del Bosco hay además locura. La intención de ese infierno es demencial, pero no eterna, pues en ese infierno están *pasando* cosas, hay cosas que están dejando de ser conforme son o han sido. Todo lo que pasa en el infierno musical es transitorio... y ridículo.

La imaginación literaria choca contra la barrera de lo que en ella hay de no-geométrico, de indemostrable, como si la eternidad fuera asunto de otras disciplinas, el personaje de otros dramas. La eternidad está ausente del infierno sistemático que visitó, durante los diez días que estuvo muerto, Er el Armenio, según nos lo dice Platón en *La República* (Libro X). La duración de ese infierno está perfectamente regida por un módulo, de evidente inspiración pitagórica, el 10, aunque probablemente debido a la manipulación de copistas ineptos se oblitero casi completamente el significado terrible que ese infierno metempsicósico tenía en el contexto del mito primigenio o ya sea que el propio Platón lo hubiera empleado para ilustrar indirectamente la idea de la transmigración de las almas; una idea que le era cara y que subsiste en el *Ulysses* de Joyce en un contexto semejante al de Er el Armenio; en su descenso a los infiernos, Er lo hace por la puerta de una muerte temporal, en la novela de Joyce por la de la embriaguez.

No han sido del todo vanas algunas tentativas de formular infiernos herméticos. El conjunto de esas tentativas podrá tal vez algún día producir la imagen de un infierno infalible. La búsqueda de infiernos absolutos abunda en ejemplos casi perfectos; como si la imperfección del infierno siempre implicara nuestra propia posibilidad de salvarnos de él. Es posible también que la formulación de un infierno absoluto, al producirse, se convirtiera en un infierno que por el sólo hecho de haber sido concebido como absoluto, fuera ya ineluctable, y necesariamente eterno. Tal sería el caso, por ejemplo, del infierno palingenésico de Er. Sólo que en este caso ese proceso de reencarnación se continuaría *ad infinitum et ad aeternum* y el infierno sería el decurso de la vida.

Lo anterior nos lleva forzosamente a considerar un poco más de cerca el misterioso texto de Blake, *El matrimonio del Cielo y el Infierno*. La visión del mundo de Blake es perfecta en tanto que constituye un universo de correlativos al margen de cualquier categoría ética. El infierno blakeano es la otra cara, necesaria y esencial, de la medalla del mundo. No mejor ni peor, sino la misma; caras idénticas investidas de diferente *intención*. La otra cara es el Cielo. Pero, una vez suprimido el carácter ético que asume el Infierno como condición necesaria de su existencia en las concepciones de los escritores "religiosos" como Swedenborg, y que asume una condición de igualdad absoluta con el Cielo, se formula la posibilidad de concebir un infierno total en la medida en la que puede torturar; casi absoluto, también en la medida en la que pone a prueba las posibilidades de concebir un infierno como nunca antes había sido concebido: un infierno perfecto, infinito en el número de las posibilidades de atormentar que en él se estuvieran originando desde siempre y para toda una eternidad única y exclusivamente en función de un accidente y que el infierno no fuera sino eso: un no-acontecer eterno, en un ámbito vacío infinito, absolutamente inútil y sin razón alguna de ser; que el infierno fuera una errata, como la entonación dudosa de una palabra cualquiera en un discurso banal. Un fonema inconexo, atómico, como los que profieren los obreros manuales mientras trabajan; un hecho sin sentido. Una de las razones de esa pauta que es el universo, en la que alternan la urdimbre y la trama del Cielo y del Infierno.

A partir de la concepción blakeana, si pudiera ser sintetizada con la que expresa la conjetura filológica acerca de la leyenda de Er, en Platón, es posible concebir infiernos por demás interesantes: como los infiernos inútiles a los que se iría por condenación accidental, por un capricho de la eternidad. O los infiernos imposibles de Kafka que son la expresión de mundos que se contradicen entre sí de acuerdo a un módulo meta-numérico. El mundo diatómico de Blake impregna los más remotos y fantásticos artificios de esa retórica con la que se ha pretendido hacer la crónica del viaje. Muchas veces el infierno tiene ese carácter tenso y deforme de lo imposible que ha sido realizado contra su condición de no ser, por un arte mágico, como un *golem* por la entonación de una palabra, por la intención de una mirada, por la evolución de un gesto, "por una apenas sonrisa", como dice Gorostiza. El mundo, todo, sería un infierno al que hemos ido a parar eternamente por una equivocación o por un azar. El relato *El guardagujas* de Arreola ilustra confabulosamente el esquema de un infierno de ese tipo. El expediente corporal, tan escabroso en la formulación de infiernos ante-blakeanos, ha sido resuelto mediante la adopción de una fórmula que es posible remitir, indistintamente, al *Tratado acerca de los principios del conocimiento humano* de George Berkeley o al fragmento 21a de Anaxágoras relativo a la apariencia de lo invisible, siempre tan equívoco o ambiguamente traducido a las lenguas modernas. Dice Blake que "ese llamado cuerpo es una porción del alma discernida por medio de los cinco sentidos". El Yo se vuelve inconmensurable e incognocible. La puerta de escape de un infierno eterno desaparece. El tormento se convierte en el patrimonio de una comunidad. A todos los que estamos en el infierno nos es común este dolor, es por lo tanto menos dolor que el de la totalidad de dolor que hay. He allí la falla de ese infierno también. Todo aquello que mengüe, aunque sea un ápice la totalidad de dolor posible, es la experiencia de un placer inefable.

Pero es posible, también, que el infierno sea, nada más, un error de punto de vista en el planteamiento de un mundo que entre otras cosas permite ocios como el de inventar infiernos conjeturales; la afirmación de una realidad, de hecho casi perfecta, pero que adolece de una pequeñísima fisura que pone en entredicho la perfección de su forma. ¿En qué región misteriosa del espíritu se origina la idea del infierno, en qué región de él, si ya estamos allí, los hombres condenados se ponen en marcha para conquistar el reverso luminoso del mundo?, ¿en qué momento de los tiempos infinitos, omnipresentes que confluyen en la eternidad instantánea del infierno, conforman a su vez esa atracción que la tiniebla ejerce sobre quienes están en la luz?, ¿pero quién también, es capaz, de acuerdo con la visión de Blake, de no imaginar para sí la posibilidad contraria de que el existir es ya, por principio, paradisíaco, lo que a su vez permitiría la formulación de una forma conjetural de infierno que consistiría en estar equivocados y que pensáramos que la vida es el Cielo, pero un cielo deficiente y siempre, en el fondo, decepcionante?

Cabe desde luego una posibilidad también correlativa a la anterior que sería la de considerar la vida como una forma final de infierno durante la que se prepara, sin que nosotros lo sepamos, un término ulterior de infierno infinitamente peor que el presente, durante el cual no nos privamos de cultivar la esperanza de que nos está deparado un paraíso. Supongo que en estos términos, en *El matrimonio del Cielo y el Infierno*, Blake endereza su crítica a la religión establecida, a la que acusa de parcialidad por demostrar una marcada inclinación hacia el Cielo.

Pero aún los infiernos imposibles o de equivocación o de azar comportan la posibilidad de una demostración subjetiva que tendría lugar, inescrutablemente, a la muerte del sujeto. El hecho de que nosotros no conozcamos esa demostración no quiere decir que no exista implícita en la formulación de la proposición de que el infierno es algo que "ocurre" después de la muerte. El siglo XX no ha sido parco en la invención de infiernos subjetivos presentes que tienden siempre a superar ese obstáculo. "El infierno soy yo" proclaman algunos escritores: Kafka y también Burroughs. "Esto es el infierno..." dicen otros como Celine, como Artaud.

Pero así como hay quien ha propuesto infiernos que consisten en la experiencia sensible, por toda la eternidad, de la descomposición de la carne, en la conciencia eterna de la nada y del no ser, del imposible, Occidente se ha guardado muy bien de inventar, para la salvaguarda de la tradición infernal, infiernos metafísicos como el de "pensé que..." que vio Quevedo en uno de sus sueños, como los infiernos inscritos en espacios topológicos que causan dolorosas deformaciones en el tiempo.

Y así como hay quienes han ido a buscar la visión del infierno en el más allá de la muerte, otros han ido a buscarla en su mono imitador, el sueño. Nerval, sin saberlo, penetra por la puerta del sueño en el reino de Hades. Aurelia empieza con la afirmación de que el sueño es una vida paralela y termina diciendo que el autor ha realizado un descenso a los infiernos.

RETÓRICA DEL DIABLO

La literatura se aboca con tanta insistencia al Diablo, que esa particular proclividad parece marcar no sólo a las obras, sino también a los autores, y no es fácil escuchar decir de algún escritor que es un autor diabólico sin transferir frecuentemente las cualidades de sus personajes a su propia persona. Hay un elemento diabólico que ciertamente se manifiesta en casi toda la literatura de Occidente, pero pocos son quienes se hayan ocupado de cernir esa idea y separar ese elemento diabólico en sus dos partes: la que lo contiene como origen y la que lo contiene como tema.

El Diablo como tema, me parece mucho más interesante que como autor. El satanismo de Baudelaire es de poca monta comparado con el de *Las flores del mal*. De hecho, pienso que el Diablo es una figura meramente literaria. Saber o investigar si el Mal es una condición general del universo y de la humanidad es cosa que atañe a los moralistas. Lo cierto es que el Diablo es una de las formas más frecuentes y más paradigmáticas, en la literatura, de esta preocupación.

Esa forma está sometida al dominio de un cierto gusto literario que la hace materia evidente de una compleja metamorfosis cuyas etapas más notables trataremos de señalar aquí, al menos en su aspecto literario.

El origen de las metamorfosis de Satán se sitúa en el Edén, al oriente, donde hace su aparición el diablo en forma viperina: "...la serpiente, la más astuta de cuantas bestias del campo hiciera Yavé Dios..." (*Gn. III, 1*), dotado ya de atributos que no habrán de abandonarlo: en especial el carácter general fusiforme, fálico de su figura, su torpeza locomotora, su proximidad a las mujeres y su temperamento dialéctico y de *sales talk:* "¿Conque os ha mandado Dios que no comáis de los árboles todos del paraíso?... No, no moriréis; es que sabe Dios que el día que de él comáis se os abrirán los ojos y seréis como Dios..." (*ibid. III, 1 y 4*).

A propósito de esta primera aparición de Satán, es preciso anotar algunas observaciones acerca del significado de esta figura en la literatura no griega o de raíz no griega en Occidente. El Diablo es la denominación concreta del concepto abstracto "el Mal"; como figura está en la misma relación lógica que el vino con la embriaguez, pero lleva consigo la carga de una connotación completamente especial en el contexto en que alienta: la de pecado o transgresión; es decir la de culpa y castigo, que expresan sintéticamente las dos grandes funciones que el Diablo ejerce en el mundo: tentación y tortura, a veces bajo la forma de la fascinación y de la gratificación sensual. Ahora bien, los griegos —eso que nosotros entendemos en su acepción más amplia por "los griegos"— fueron, en términos generales, completamente ajenos a este tipo de representaciones literarias, y apenas los esfuerzos clericales del siglo romántico fueron capaces de inventar un diablo con nombre griego y con algunos de los atributos pánicos, como las patas de macho cabrío y los cuernos; razón por la que en cualquier discusión acerca del diablo ese espíritu griego, más bien abocado a la persecución y consumación del ideal Eros, brilla por su ausencia.

La Biblia, especialmente en el Antiguo Testamento, no hace gala de concepciones particularmente imaginativas acerca del diablo. El nombre Satán significa "el adversario (de Dios)" y es para establecer un gran antagonismo dialéctico para lo que sirve la personificación del mal no frecuentemente reiterada, y, sobre todo, pocas veces subrayada en el curso del libro, para acentuar la importancia de un encuentro fatal: el de Satanás con Cristo.

El relato que tenemos de este encuentro —verboso en San Mateo (IV, 1-11) y San Lucas (IV, 4-13), lacónico en San Marcos (I, 1-13)—, aunque no nos dice gran cosa acerca de la forma que el diablo reviste, sí crea para la literatura la circunstancia exterior más propicia a su aparición: el desierto y el límite; el hambre de Jesús en el páramo desolado.

Dadas la circunstancia perfecta y el personaje idóneo, toda la situación diabólica estalla en la multitudinaria efusión del *Apocalipsis,* gran libro de imágenes en el que el diablo toma casi todas las formas habidas y en el que se fija, con variantes mínimas, el aspecto o la forma del mal para la literatura: el escenario ideal y también el personaje congruente. Se define poco a poco la figura en la que el drama está inscrito. Un drama puramente literario, claro. El diablo sofista, magnífico Príncipe del Mundo, tentador impreciso de los Evangelios, accede a una condición particular y significativa en su desarrollo como figura: la de símbolo. El primer puente ha sido tendido entre el significado y el significante; un puente precario, por impreciso, entre la idea *mal* y la figura *diablo*.

San Agustín, que tan notablemente encarna e inicia la primera gran preocupación filosófica del cristianismo, no deja de asignarle a ese símbolo un valor suplementario: el de falso mediador entre los hombres y Dios: "...Como os buscaban llenos de orgullo, y presentaban con arrogancia su pecho, en lugar de herírsele con humildad, por eso solamente pudieron atraer a sí (por medio de alguna imagen o semejanza) a las *rebeldes aéreas potestades,* esto es, los demonios, compañeros de su soberbia, que los engañaron con la magia cuando ellos buscaban un medianero que les iluminase y purificase; y entre ellos no había sino el demonio, que se transformaba en ángel de luz. Lo que ayudó mucho a que los hombres soberbios y carnales cayesen en semejante desvarío de solicitar al demonio para su medianero..." (*Confesiones,* Libro X, Capítulo XLI, 67).

Este fragmento no sólo le asigna un nuevo papel al demonio: el de intermediario, el de falso sacerdote, sino que además señala algunos rasgos clave para descifrar la caracterología descriptiva de este interesantísimo personaje. En primer lugar ha decantado la proliferación imaginativa del Apocalipsis mediante los primeros grados de la abstracción filosófica. Pretende convertir aquello que ya es un símbolo, en una noción: *las rebeldes aéreas potestades* cuyo carácter general y abstracto el propio autor subraya y reitera al asignarles también inteligencia práctica –que les sirve para inventar tretas de astucia, tal como la de poder engañar a los hombres suplantando a los sacerdotes–, y belleza, cuando lo llama "ángel de luz". Al asignarle estas cualidades, San Agustín hace posible concebir, a partir de ahí, al diablo como personaje literario ya que ha sido antropomorfizado, "humanizado" en fin. Está listo para iniciar el tortuoso camino de la imagen y semejanza de las que habla el santo y que atraviesa la selva oscura de la imaginación de los hombres.

Dante, inventor de la Lengua, que había poblado el infierno de mercaderes florentinos y politicastros partidistas, es el primero en concretar una simetría significativa. Lo que está arriba es (en cierta manera) igual que lo que está abajo; principio elemental de la alquima y de las ciencias simbólicas florecientes en su tiempo y que un grabador londinense trataría de trastocar quinientos años más tarde. Como quiera que sea, nos deja el Poeta un retrato solemne y sensual de Lucifer que encarna ese principio de simetría arriba/abajo. En el canto XXXIV se llena de asombro cuando penetra en la Giudecca y contempla por primera vez la imagen del Maligno, tricéfalo y alado como murciélago, cuyo torso emerge del hielo en que está aprisionado; de sus bocas penden los cuerpos de Judas, traidor a la majestad divina y de Bruto y Casio, traidores a la majestad humana. La imagen de Lucifer está construida de acuerdo al principio de esa simetría que quiere que lo de abajo sea la imagen aberrada de lo de arriba. Lucifer es ahora tan feo como antes era bello, y el aspecto de este *imperador del doloroso regno* se ve contrapuesta a la de *quell'Imperador che lassú regna* (I, 124), en una monstruosa parodia del misterio de la Trinidad y de la corte celestial.

Así como San Agustín le dio inteligencia inmediata y forma humana; como Dante trazó una línea ética que divide el mundo en arriba y abajo: un abajo sulfuroso y malo, idéntico en magnitud de majestad al arriba mirífico y celestial; así John Milton confiere al diablo un atributo que también él había dado al verso inglés: el de heroico. El eje moral instaurado por Dante comienza a girar hacia su verticalidad blakeana. El diablo de Milton es, figuradamente, el hombre empecinado en la reconquista de su grandeza angélica primigenia. Lucifer es el héroe de la más alta rebeldía concebible, que se enfrenta a Dios en igualdad de esa majestad que Dante le había conferido como opuesto de la majestad divina. Y no sólo accede con ello a la condición de hombre y de héroe, sino que también, en el poema de Milton, rescata para sí los atributos divinos perdidos por el pecado de la soberbia. Detenta un poder absoluto sobre el Mundo por virtud del libre albedrío humano; es decir: Satán es el otro polo de la dialéctica del universo. Así como Dios es el rey de los cielos, Satanás es el rey de la tierra y de los hombres.

La disposición cósmica instaurada por Dante, que comprendía un "abajo" diabólico y un "arriba" divino divididos por un confín horizontal que el Lucifer miltoniano había tratado de traspasar, se verá subvertido por los afanes de un espíritu singular en la historia literaria del tránsito entre el siglo de las luces y el siglo de las radiantes tinieblas románticas. William Blake, el oscuro contemporáneo londinense del Gran Invocador de Weimar, del poeta de la pata de cabra muerto en Misolonghi, del loco de Tubinga y del Anticristo de Ajaccio, sería el héroe de los 180° del compás. La línea que dividía el imperio infernal del Empíreo se vería volcada, en función de una visión poética, hasta su verticalidad ética. Infierno y Cielo, Divinidad y Diablo no serían a partir de las conmociones interiores de este poeta sino las dos fases que componen el tiempo de una visión del cosmos en la que el Bien y el Mal dejan de ser los componentes dialécticos del Universo para convertirse en la conjunción sintética de una nueva visión del mundo:

Sin Contrarios no hay progresión. Atracción y Repulsión, Razón y Energía, Amor y Odio son necesarios a la existencia Humana.

De estos contrarios surge lo que las mentes imbuidas de religión llaman el Bien y el Mal. El Bien es pasivo y obedece a la Razón. El Mal es activo pues brota de la Energía.

El Bien es el Cielo. El Mal es el Infierno.

(El matrimonio del Cielo y el Infierno, Plancha 3)

En sentido literario Blake crea una cierta familiaridad con el diablo. Éste deja de ser la potestad negativa del infierno dantesco, para desandar un trecho el camino recorrido desde su condición angélica. Ahora, cuando menos, se ha hecho amigo del hombre:

...Este Ángel, que ahora se ha convertido en Diablo, es mi amigo particular: frecuentemente leemos la Biblia juntos en su sentido infernal o diabólico que los hombres habrán de conocer si se comportan bien...

Por el mismo procedimiento por el que Blake confiere al Diablo la paridad absoluta con Dios, le quita también mucha de la solemnidad heroica con que su compatriota Milton le había investido.

El *Zeitgeist,* dominado por las grandes figuras apocalípticas sobre las que presidía la de Napoleón contribuyó, sin duda, a hacer del primer romanticismo una actitud particularmente dominada por la preocupación diabólica.

Se vulgariza en la literatura de este periodo la noción muy importante de que es posible "invocar al Diablo". La literatura en que se describen tales tentativas prolifera en todos los modos de la novela hasta culminar en lo que es posiblemente la instauración por la literatura del único mito post-homérico: la leyenda del Doctor Fausto, el hombre que, por la ciencia, puede invocar al Diablo.

La leyenda fáustica se derrama por toda Europa durante el Renacimiento tardío; es expresión, en cierto modo, de la Reforma y, también, de la Contrarreforma. Nace el Doctor Fausto hacia 1480 según la leyenda que se origina en el Wurtenberg. Según Melanchton había nacido en Breten, estudió en Cracovia, donde en esa época la magia todavía formaba parte del *curriculum.* En 1507 el abate Johannes Trithemius da testimonio de su presencia en Gelnhausen, en donde se presentó a sí mismo como: "...*magister Georgius Sabellicus. Faustus junior, fons necromanticorum, astrologus, magus secundus, chiromanticus, aeromanticus, pyromanticus, in hydra arte* [pronóstico por el análisis de orina] *secundus...*" etcétera. Se cuenta en las crónicas de la época que el Doctor Faustus afirmaba que era vano venerar a Cristo ya que él podía realizar los mismos milagros que Jesús, en cualquier lugar y en cualquier momento, y en el aspecto filológico y literario se vanagloriaba de poder restituir los textos perdidos de Platón, de Plauto y de Terencio. Tanta fama adquirió con sus patrañas que en 1507 Franz von Sickingen de Kreutznach le confió la educación de sus pequeños hijos, con los que el preceptor se entregó a un "...turpissimum fornicationis genus". En 1536 el humanista Joachimus Camerarius, profesor en Tubinga, le escribe para pedirle un pronóstico sobre el resultado de la tercera guerra entre Carlos V y Francisco I. Para la literatura, ha nacido el personaje. La primera crónica impresa, realizada por el impresor Johann Spiesz, conocida generalmente como *Das Faustbuch,* fue hecha en Frankfurt en 1588. Su título completo es: *Historia del Dr. Johann Faust, muy célebre mágico y nigromante. Cómo, a término fijo, vendió su alma al Diablo y cuáles singulares aventuras conoció, vivió o provocó antes de recibir su recompensa bien merecida.*

Con ayuda de la imprenta la leyenda no tarda en difundirse por toda Europa. En el mismo año en que fue impresa la *Historia* de Frankfurt el poeta inglés Christopher Marlowe compone su *Tragical History of Doctor Faustus,* que fue publicada sin el nombre de su autor en 1601, y con él en 1604. El drama de Marlowe, además de asignarle ya al Diablo un nombre literario más o menos fijo: el de Mefistófeles, Señor de las Moscas, introduce un elemento de enorme importancia en la leyenda a partir de entonces. A medias antagonista y a medias falso intermediario del hombre con las potestades divinas, enemigo personal de Jesucristo, el Diablo accede a una condición singular: la de mediador entre el hombre y la Belleza. Se convierte, como si dijéramos, en un artista.

Detentador de la posibilidad de contemplación de la más alta belleza, va convirtiéndose poco a poco en intermediario amoroso (un papel que volverá a adoptar en el primer *Fausto* de Goethe), en España, donde hace su aparición en las tablas del Siglo de Oro como personaje y en el contexto todavía de la magia, en un drama de Calderón: *El mágico prodigioso*. Para cuando Quevedo desciende al infierno por vía del sueño, los alguaciles, los sastres sisones, los escribanos, los cornudos y las alcahuetas impiden ver al diablo con claridad. En su medida literaria el diablo español se bifurca hacia la abstracción a la vez que hacia la picaresca y dará su fruto único algún tiempo después en la figura literaria de Don Juan, fuertemente impregnada de elementos diabólicos.

La Ilustración verá nacer un nuevo esbozo de la figura del Diablo. Cien años después de su llegada a España, el doctor Fausto regresa a Alemania mezclado con el populacho. Gotthold Lessing intentará un drama basado en la tradición popular como parte de un programa racional de dramaturgia. En esta obra el autor confiere al Diablo una facultad pedagógica que nadie había imaginado antes de Lessing. El personaje desea, no ya la belleza o el poder a los que aspiraba el Doctor

Faustus de Marlowe, sino que desea el conocimiento. El drama —que nunca fue terminado— se funda en el precepto, enunciado por uno de los diablos menores que tratan de corromper al sabio, de que: "...un deseo excesivo de conocimiento es una falta y una sola falta puede engendrar todos los vicios..." Para tentar al Fausto de Lessing, el Diablo se hace pasar por Aristóteles. Pero por un precepto correlativo se prevee la salvación del protagonista: "Dios no pudo haber dado a los hombres el más noble de sus instintos para hacerlo, por ello, eternamente desgraciado...", palabras que impresionaron profundamente al joven Goethe.

Hay dos Mefistófeles en el *Fausto* de Goethe: el de la Primera Parte o *Urfaust* y el del gran drama filosófico del segundo *Fausto*. Una singular metamorfosis tiene lugar entre la figura del primer Mefistófeles, que comporta todavía las características que la tradición le asignaba, tales como la de Burlón, Maligno, Cínico, Seductor, etcétera, y las que obtiene del segundo *Fausto*, cumpliendo otra giración de esa magna figura retórica que en la literatura ha sido el Diablo, al identificarlo con el hombre. Goethe le asigna ahí la condición de Compañero, compañero de viaje que va en nosotros (*Gefährte*). La relación, que en el primero es la que existe entre tentador y tentado, en el segundo se convierte en un diálogo de Fausto consigo mismo, con su sí mismo que es Mefistófeles.

Aún habrá de girar la rueda en un sentido y en otro, pero sin salir del dominio germánico nos damos fácilmente cuenta de que el Diablo de Thomas Mann en *Doktor Faustus* se particulariza no en uno, sino en muchos sentidos; se define por la diversidad de formas que un género muy particularizado admite. Entre casi todos los diablos de la literatura, el de Thomas Mann se define por su condición *pedagógica*, una condición que había sido ya esbozada por Lessing en el contexto diabólico alemán: ¿quiénes son los maestros de teología de Adrian Leverkühn? Nonnenmacher, que cree en la supremacía de los números y en la armonía matemática de las esferas; Kumpf (*Kump*, compañero), que cree en el diablo y no en la lógica, como Lutero; Schleppfuss (pie que se arrastra), para quien la psicología de la religión es una demonología que se explica por medio del erotismo y el psicoanálisis. Según él, el mal forma parte del bien y la teología no es, en realidad, sino la ciencia de lo diabólico. Para explicar una tentativa de suicidio del protagonista, Zeitblom, su biógrafo imaginario, nos dice en el epílogo que su conjetura "...que equivale casi a una certidumbre es que una idea mística de salvación se ocultaba detrás de este intento de escapar. Esta idea era conocida de la antigua teología y particularmente del protestantismo primitivo: la de que aquellos que habían invocado al Diablo podían salvar sus almas 'entregando sus cuerpos'"; idea que no sólo explica ese episodio, sino que subyace a toda la novela, y que además, deriva en una idea ampliamente explotada por el romanticismo tardío.

La asociación del cuerpo y el diablo se verá particularmente subrayada durante ese periodo en que la "sensación" se alza en vuelos espectaculares proponiendo el pecado de la carne como su forma más alta. La figura del diablo no solamente se verá asociada a la del hombre mismo, como sucede en el segundo *Fausto,* o a la de un tipo de hombre particular como será el caso en la gran novela de Thomas Mann, sino con la forma misma del hombre: su cuerpo, esa máquina de percibir sensaciones. Para Victor Hugo el mundo está suspendido entre el Edén y las Tinieblas, y en la obra de Baudelaire, Satanás es el centro de donde parten las radiaciones del estremecimiento que es el fin de la nueva poesía:

> *Toi qui, même aux lépreux, aux parias maudits,*
> *Enseignes par l'amour le goût du Paradis...*

A partir de la segunda mitad del siglo XIX Satanás se concretiza como personaje literario; es, en cierto modo, el representante simbólico del espíritu de la literatura. Las obras en que disfrazado o evidente el Diablo es el principal personaje proliferan a tal grado que será fácil encontrarlo en todos los niveles. Se conforma lentamente la base de un gran edificio que conocerá la identificación de las dos negaciones supremas que el hombre ha concebido: el diablo y la muerte. Un siglo después, en América, se creará un poema en el que la giración de la figura diabólica se completa. Identificado nuevamente con las cosas del mundo, el mismo diablo que había surgido de las profundidades de la tierra con forma viperina, que había ascendido a los empíreos heroicos y que se había mezclado al populacho ebrio de ajenjo de la agonía romántica, el señor de las espiroquetas, tornaría a una condición eficiente y vulgar y de la misma manera que para el gran romanticismo el destino llegaba a la puerta del hombre, el diablo tocará, con la figura de la muerte, en la nuestra:

47

¡Tan-tan! ¿Quién es? Es el Diablo,
es una muerte de hormigas
incansables, que pululan
¡oh Dios! sobre tus astillas;...

El poema de Gorostiza termina con estas palabras que el poeta, ebrio de impensadas y misteriosas metamorfosis, le dice a la muerte:

¡Anda, putilla del rubor helado,
anda, vámonos al diablo!

como si en esa resignación estuviera cifrada la victoria final de este Antagonista que, en resumidas cuentas, todo se lo lleva.

QUIÉN ES JUSTINE

...soto
Una dolente imagine di morte
Gli reco vita e gioia.
Tasso

La personalidad de Justine —personaje central de *Les Mal-heurs de la Vertu*— no sería mayormente interesante si no nos remitiera a la contemplación de un vasto panorama cultural y moral en el que se entrecruzan los cauces de muchas ideas que desde la Ilustración hasta nuestros días se han convertido en constantes —a veces ocultas— de la personalidad del hombre occidental. La identidad literaria de Justine plantea, por encima de todo, una pregunta capital: ¿quién es el Marqués de Sade? Pero esta pregunta no tendría ningún significado si no la proponemos en el marco de nuestra propia cultura. Es preciso que nos preguntemos qué es lo que significa Sade en nuestros días y para nosotros, y para poder contestarnos esta pregunta es preciso que analicemos la evolución de sus ideas a lo largo del tiempo, desde sus días hasta los nuestros. En-contraremos tal vez, si así lo hacemos, que la línea que va des-de Sade hasta nosotros no nos permite desgraciadamente ex-

49

playarnos demasiado y tenemos, por lo tanto, que atenernos a los momentos culminantes de esa evolución en el tiempo y esto nos conduce a contemplar, aunque sea sumariamente, el pensamiento de dos grandes escritores franceses en quienes las ideas de Sade parecen haber tenido un eco importante: Baudelaire y Bataille.

Es preciso de antemano constatar un hecho singular: la época de Sade es una época en la que, en función de una misma idea —la Razón—, florecen concepciones antitéticas de la vida. Las antípodas, el vicio y la virtud, encarnan en esos hijos del siglo que son los "libertinos" y los "incorruptibles", Bossuet y el Duque de Charolais, Maximiliano Robespierre y el Marqués de Sade. No cae dentro de los límites de este ensayo descubrir cuál es la razón sociológica de este hecho curioso. Si nos atenemos al caso de Sade y de Robespierre, por ejemplo, no caeremos sino en la cuenta de una finalidad similar. Robespierre mataba por virtud mientras que Sade, de una manera literaria, mataba por vicio. Al fin de cuentas el resultado último es el mismo.

El argumento de *Justine ou Les Malheurs de la Vertu* bien puede servir para dar pie al análisis de esta evolución. Helo aquí resumido:

Dos hermanas, Juliette y Justine, hijas de un burgués acomodado, quedan huérfanas a temprana edad. Juliette decide seguir el camino del vicio. Una carrera en la que alternan en fuerte dosis la prostitución, la orgía, la promiscuidad, el adulterio, el asesinato, el aborto, etcétera, la convierte al cabo de los años en una dama rica y respetable: la Condesa de Lorsange. Su hermana Justine decide, por el contrario, seguir el camino de la virtud y va así por la vida defendiendo su doncellez a través de miles de vicisitudes. En un momento dado de la narración se la conduce a prisión por un delito que no ha cometido. Camino de la cárcel, la diligencia en que es conducida se detiene durante unas horas en una posada en la que "la razón de la Naturaleza" (el azar) ha querido que se encuentre hospedada una pareja aristocrática. La dama, conmovida por la pesadumbre y el dolor que se reflejan en el semblante de la prisionera, le pide que le cuente su historia. Es por este procedimiento retrospectivo por el que llegamos a conocer la vida de Justine. Poco tiempo después de quedar huérfana pasa al servicio de una vieja celestina que ante la tenacidad de Justine por defender su virginidad la despacha a casa de un viejo usurero que al poco tiempo la acusa injustificadamente de robo; Justine es encarcelada. Pasa algún tiempo y luego, con la ayuda de una prostituta, la Dubois, escapa para unirse a una banda de ladrones que igualmente atentan contra su virtud. Justine huye. Al pasar cerca de un bello castillo presencia un acto de sodomía perpetrado por un lacayo en la persona del joven señor del lugar. Estas personas "infames" la descubren y después de maltratarla la obligan a entrar en el servicio del castillo donde sufre toda clase de vejaciones sexuales. Más tarde es obligada por el joven señor a actuar como instrumento para producir la muerte de su madre, la vieja Condesa. Una vez consumado este asesinato con la mediación involuntaria de Justine, ésta huye nuevamente del lugar y entra a servir al cirujano Rodin que se dedi-

51

ca a prácticas de pederastía quirúrgico-erótica con sus propios hijos. Cuando descubre casualmente que ella está destinada a ser la próxima víctima de Rodin, Justine huye nuevamente. Caminando por los campos escucha de pronto el tañido de una campana. Justine se cree llamada por el cielo y decide refugiarse en la abadía de donde proviene el sonido de la campana. No bien ha traspuesto el quicio de aquel convento singular de Sainte Marie des Bois, se percata de que es ésta una institución en la que clérigos aristócratas se dedican a las más desenfrenadas prácticas sexuales en compañía de una serie de bellísimas concubinas-esclavas que allí conviven con ellos. Justine pasa a formar parte de este serrallo. Las experiencias eróticas a las que Justine es sometida en este santo lugar parecen no tener paralelo. Su escapatoria es imposible. Sometida a la promiscuidad de lo sagrado y de lo erótico-profano, llega un día sin embargo, en que una circunstancia providencial le permite escapar de allí. Entra entonces Justine al servicio de una pareja rica. El esposo, adepto a prácticas de vampirismo erótico, trata de saciar sus instintos malsanos tanto en su propia mujer como en Justine. Ésta huye nuevamente para caer en las garras de un noble señor que no encuentra placer sino en la proximidad de la muerte para lo cual tiene dispuesto un cadalso, suspendido del cual y ante la presencia de Justine, se gratifica sexualmente de los modos más fantasiosos que es dable imaginar. Justine huye nuevamente y es raptada por una banda de monederos falsos cuyo jefe, bajo una identidad equívoca, la hace su concubina. Justine lo sigue a las montañas en donde tiene su escondite. En un momento dado se revelan las verdaderas identidades. Encadenada desnuda junto a otras miserables mujeres, como Sansón en Gaza, Justine es obligada a impulsar la rueda de un molino al ritmo de los azotes despiadados que le propinan los capataces. Un día llegan los soldados del Rey y acaban con la banda de malhechores. Justine es conducida a Lyon en donde acude a implorar la ayuda de un rico señor que se había ofrecido a protegerla. Después de que éste trata de seducirla haciéndole una pormenorizada exhibición de las más desenfrenadas proezas sexuales, Justine resiste. El señor entonces la entrega a la justicia acusándola de un delito que no ha cometido. Condenada, Justine es conducida a una lejana prisión en el camino hacia la cual tiene lugar el encuentro durante el que se desarrolla el relato de su vida. La aristocrática interlocutora de Justine no es otra, por supuesto, que la perversa Condesa de Lorsange o sea su propia hermana. Cuando Justine termina su relato, el amante de Madame de Lorsange la rescata de la justicia y ambos la llevan a vivir a su palacio. Justine cree llegado el momento de su redención y de la recompensa a su virtud pero entonces se desata una tormenta y un rayo, heraldo de los designios inescrutables del cielo, se abate sobre ella, matándola. Madame de Lorsange, conmovida y arrepentida ante esta manifestación de la justicia celestial se retira a un convento para terminar sus días.

Al repasar sumariamente esta historia nos damos cuenta, desde luego, de que ésta, como todas las historias de Sade, parte de esa dualidad banal que se concreta en la confrontación de dos arquetipos: el del bien y el del mal. Esta confrontación no es, por ningún concepto, original. Infesta de mala manera todo el pensamiento mediterráneo desde sus orígenes, pero siempre ha planteado una interrogante capital: la de si efectivamente estos términos constituyen los extremos de un conflicto dialéctico. ¿Es en verdad el Bien el contrario del Mal? De cualquier manera, al parecer la historia de Justine parte esquemáticamente de este presupuesto que se concreta en la existencia de dos hermanas: una buena y otra mala. La mala es bendecida con toda clase de beneficios; la buena, por el contrario, es abrumada con toda clase de atropellos. Hasta aquí todo es banal y la novela no hace sino seguir la tradición de sus tiempos. Una circunstancia hábilmente disfrazada —el final de la novela— plantea una posibilidad turbadora en su inquietante ambigüedad. El rayo que abate a Justine puede ser una recompensa a su virtud si se le considera como el término de sus infortunios, pero puede ser un castigo si, como de hecho sucede, ese rayo le impide gozar de la merecida recompensa a su virtud. Mediante este procedimiento Sade mata dos pájaros con un tiro. Burla la censura por una parte y plantea la esencia de su filosofía por la otra. ¿Tendría la obra de Sade la importancia que tiene si la conclusión de su razonamiento fuera de la índole de *crime doesn't pay*? Hay que tener en cuenta que existe en la historia de la literatura europea un personaje que se llama Stavroguin, mediante el cual Dostoyevski plantea este terrible problema del bien y del mal bajo una luz que no se define de la sombra con esa nitidez que las mentalidades maniqueas quisieran. Cabe pues afirmar, en virtud de esa ambigüedad moral que es, en última instancia, el destino ulterior de su obra, que Sade es un autor cristiano, sobre todo si se tiene en cuenta que él sugería esa ambigüedad moral en un siglo, en una época, en que la razón neoclásica afirmaba justamente, mediante cartesianismos barrocos, esa definición precisa, y por precisa precaria, entre el bien y el mal.

Por lo que al análisis de la personalidad de Justine respecta, la estructura formal de la novela plantea una relativa dificultad. Concurren en el desarrollo de la obra dos niveles diferentes en los que opera la visión del escritor. Estos dos niveles o puntos de vista se alternan sin entrecruzarse jamás. Por una parte está la acción propiamente dicha, acción "física" mediante la cual Sade investiga en el ámbito del *erotismo,* y por otra parte está el aspecto discursivo en el que se comenta la significación trascendental de la acción física y mediante la cual Sade investiga en el ámbito de la *moral.* Justine pertenece por entero al primer aspecto, ajena siempre a lo que la novela tiene de especulación ética. Esta particularización del carácter de Justine la convierte en un accesorio absolutamente pasivo de la novela. Justine no tiene más que la importancia de las fuerzas y de las circunstancias que actúan sobre ella. Justine es una réplica, generalmente ingenua cuando no imbécil, al discurso armonioso, cartesianamente organizado, que Sade pone en boca de sus personajes activos y en confrontación con los cuales Justine no representa sino un elemento pasivo: por eso, entre otras cosas, resulta poco interesante preguntarse quién es Justine si al mismo tiempo no sacamos en claro algo acerca de quién es Sade, porque, a la larga, y para los efectos de la continuidad histórica de las ideas morales de Occidente, no podremos sacar una conclusión válida si es que no hacemos estas preguntas conjuntamente.

Es preciso que nos preguntemos de antemano si Sade es sincero y luego si esa sinceridad o insinceridad se vierte en qué tipo de personajes o situaciones de sus obras. Sade, por razones de censura quizá, pretende ser un moralista que predica con el ejemplo; es decir, mostrando con una minuciosidad exhaustiva todos los efectos del vicio. Se acepta como un hecho, sin embargo, que en esa lucha maniquea entre el bien y el mal, entre el vicio y la virtud, entre la luz y la sombra, Sade está de parte del mal, y esto ya es un problema que nos vuelve a traer a las abstrusas resoluciones de San Agustín acerca del problema del mal. ¿Es el mal en verdad la antítesis del bien, o sólo un elemento complementario del universo que carece por completo de significado dialéctico?

Justine es el Bien, la Virtud, aparentemente perseguida por el Vicio y por el Mal. Pero si reparamos detenidamente en los discursos morales de Sade, nos daremos cuenta de que de acuerdo con una fórmula dieciochesca el Marqués ha tenido la suficiente inteligencia como para introducir un elemento que neutraliza esa concepción contradictoria y dialéctica de la moral. Este elemento es la Naturaleza, y la Naturaleza, en el ámbito de la filosofía racionalista, no es sino ese campo limitado en el que, por su propio designio y por lo que al hombre respecta, se desarrollan las mutaciones fundamentales de la vida: el nacimiento, la reproducción, la muerte...

La idea del orden de la naturaleza, según Sade, se expresa en el sentido de que el mal, como el bien, lejos de constituir una antítesis en su confrontación intrínseca, constituyen una necesidad, una condición indispensable al equilibrio de las cosas del mundo. En un diálogo entre la Dubois y Justine, este concepto se concreta de la siguiente forma:

"—Mi querida amiga, me dijo, tomándome en sus brazos, si he deseado verte más íntimamente es para demostrarte que mi fortuna está hecha y que todo lo que yo tengo está a tu disposición; mira, me dijo, abriendo unos cofres llenos de oro y de diamantes, mira los frutos de mi industria; si hubiera seguido la Virtud como tú, estaría ahora en prisión, o me hubieran colgado.

"—Oh, señora, le dije, si no debéis todo eso sino a los crímenes, la Providencia, que acaba siempre siendo justa, no os dejará gozarlos durante mucho tiempo.

"—Error, me dijo la Dubois. No pienses que la Providencia favorece siempre a la virtud; que un corto instante de prosperidad no te ciegue a tal punto. Es necesario para el mantenimiento de las leyes de la providencia que Pablo siga el mal, mientras que Pedro se abandona al bien; es necesaria a la Naturaleza una cantidad igual de uno y de otro y el ejercicio del crimen, más que el de la virtud, es de todas las cosas del mundo lo que le es más indiferente; escucha, Teresa, escúchame con atención, continuó diciendo esta corruptora sentándose a mi lado... No es la elección del hombre lo que constituye la Virtud... ni lo que le hace encontrar la felicidad..."

Lo que de acuerdo con una concepción, por así llamarla, "idealista" de la moral, vendría a ser el conflicto dialéctico bien-mal, de acuerdo con una concepción mecanicista derivada del racionalismo, se convertiría en un proceso que se desarrollaría dentro de los términos extremos de la existencia: vida y muerte. Ahora bien, tal sería el caso si Sade no introdujera dentro de su espesa perorata moralizadora dos elementos significativos de alto contenido simbólico: uno de orden místico: el concepto de "virginidad", y el otro de orden psicológico: el erotismo. Veamos ahora en qué grado el concepto aparentemente mecanicista se ve trastocado en la obra de Sade mediante la manipulación de estos elementos para convertirse, no ya en una simple interpretación mecánica de la vida, sino, hasta cierto punto, en una concepción mística de la existencia.

Es aquí donde entroncamos con el pensamiento contemporáneo que tiende a elucidar la naturaleza del erotismo. No es de extrañar que en torno a estas disciplinas que tratan de explicar la naturaleza erótica del hombre se ciernan, por una parte, una serie de especulaciones pseudocientíficas, y por la otra, disciplinas de carácter filosófico. El hecho es que en ambos casos la especulación se aparta del hombre para perseguir su sombra, su abstracción filosófica. Recientemente ha surgido en Francia una serie de investigaciones que pretenden definir el erotismo como una característica que pudiéramos llamar "ateleológica" del hombre, es decir, una característica que no comporta una finalidad en sí misma. Anteriormente Freud había especulado en torno a este problema, pero siempre con una criterio que tendía a fijar a la naturaleza erótica del hombre una finalidad que estribaba fundamentalmente en la reproducción, o bien en la sublimación o exteriorización del *angst*. Yo considero que entre las investigaciones que nos pueden ayudar a descubrir la naturaleza verdadera de la obra de Sade, las de Georges Bataille son las que, para las necesidades y el sentido de nuestra época, mejor se adaptan a proporcionar una explicación racional ya que se apartan de una explicación pragmática y consecuentemente dejan una mayor libertad de interpretación. El sentido que Sade tiene en la obra de Freud es simplemente definitorio o lexicográfico; es decir, que Freud define ciertas características del alma humana en términos de los personajes o de las situaciones sádicas. Bataille por su parte aporta ya el sentido de una elucubración que tiende a definir los personajes y las situaciones del propio Sade sin recurrir a otras manifestaciones de la cultura que el lenguaje mismo. Para los efectos de este trabajo quisiera atenerme a los trabajos de Bataille. Creo yo que su interpretación no adolece sino del defecto universal de la unilateralidad, defecto que en última instancia es común a todos los críticos.

La ideología de Bataille se basa en una noción bastante sencilla: el erotismo es una figuración de la muerte. Eso es todo. Freud, en ese proceso vital que se concreta en la fórmula "nacimiento-reproducción-muerte" especula del centro (es decir de la reproducción) hacia los orígenes (hacia la infancia, la vida intrauterina). Bataille, por el contrario, sitúa en primer lugar en el centro de este proceso un concepto nuevo:

el de erotismo, y a partir de él especula en la dirección contraria; es decir en dirección de ese término que involucra un sentido místico en el proceso de la existencia: la muerte; y llega a ver ya sólo en estos dos términos, los extremos fenomenales de la vida. En el caso que nos ocupa, la virginidad de Justine no es la concreción de un atavismo tribal, de un *tabú*, como lo sería según la interpretación de Freud. Tampoco el erotismo de quienes intentan violar esa virginidad es el reflujo de lo subvertido. Según Sade la virginidad es un bien (un bien en el sentido de una posesión), lo que en cierto modo es una idea católica, y el erotismo tal y como lo es para Bataille, es una tendencia innata en el alma humana a transgredir esa interdicción que presupone la doncellez, es esa violación que le da al erotismo su carácter estupratorio y también su carácter de riesgo mortal; riesgo que los hombres aceptan voluntariamente y que por ello adquiere ese carácter de demasía del espíritu, de lujo, mediante el cual, en la cópula, el hombre prefigura su propia muerte.

Yo creo que sólo a la luz de las conclusiones de Bataille podemos hallar en el personaje de Justine una significación interesante, ya que no es por su identidad intrínseca, sino por lo que representa, que ella tiene algún valor. Considerada desde un punto de vista estrictamente literario, Justine es un personaje más bien pobre. Esto se debe más que nada al hecho de que Justine no es propiamente un personaje sino un pretexto del que Sade se vale para hacer más explícita su concepción de la vida. Esto no es de extrañar si tomamos en cuenta las modalidades de la exposición filosófica que imperaban en sus tiempos. En la descripción de la naturaleza humana se partía siempre de un esquema al que se le iban agregando los juicios y atributos que lo diferenciaban cada vez más específicamente. Recordemos a este efecto la estatua de Condillac y el hombre-máquina y el hombre-planta de La Mettrie. Esto prefigura de una manera inconsciente el carácter de objeto pasivo o de cosa que en Baudelaire vendrá a tener la mujer .

En sentido estrictamente literario, *Justine ou Les Malheurs de la Vertu* representa un procedimiento de composición novelística bastante común en su época y similar al del famoso ejemplo de Condillac en la filosofía. El personaje esquema que va siendo enriquecido por el autor mediante las situaciones en que lo involucra. El tema en sí es tan viejo como el mundo y sin embargo causa un verdadero furor durante el siglo XVIII y la primera mitad del XIX. La doncella virtuosa perseguida por el destino o por el vicio es el personaje central de muchas novelas anteriores y posteriores a *Justine*. En 1842 Reybaud sintetiza el procedimiento para escribir folletines de la siguiente manera:

"Tome usted, señor, por ejemplo, una joven mujer desgraciada y perseguida. Le agrega usted un villano sanguinario y brutal, un paje sensible y virtuoso, un confidente ladino y pérfido. Cuando ya tiene usted en mano estos personajes, los mezcla usted agitándolos fuertemente hasta formar seis, ocho o diez folletines que se sirven calientes."

El primero en tratar con este criterio el tema de la doncella perseguida es Samuel Richardson, con su célebre personaje

Clarissa. La novela de este nombre fue publicada en 1748, alcanzando un éxito grandioso; en ella se encuentran ya, claramente definidas, todas las características esenciales del desarrollo de las tramas en las obras de Sade y sus contemporáneos. Otra novela que en cierto modo, y con mayores elaboraciones filosóficas que la de Richardson, puede considerarse como un antecedente de Sade, es la famosa *La Religieuse* de Diderot. En ella también se sigue el esquema básico de la *Clarissa* aunque Diderot muestra ya un interés más acentuado en las torturas físicas y morales, inclinación característicamente "sádica". Como dice Mario Praz hablando de esta novela: "Diderot es de hecho uno de los más grandes exponentes de ese *Système de la Nature* que, llevando el materialismo a sus consecuencias lógicas y proclamando el derecho supremo del individuo a la felicidad y al placer en oposición al despotismo de la Moral y de la Religión, prepara el camino para la justificación, en nombre de la Naturaleza, de las perversiones sexuales". Las pretensiones cientificistas que imperaban en esta época hacían que muchas veces los novelistas invocaran el testimonio de famosos viajeros y hombres de ciencia con la finalidad de crear lo que pudiera llamarse un fundamento documental a las pretensiones propiamente filosóficas y morales. Así por ejemplo, Diderot escribe un pequeño libro intitulado *Supplément aux Voyages de Bougainville* (se trata, en realidad, de un suplemento a su propia *Religieuse*) en el que invoca la ignorancia de los nativos de Tahití respecto a las nociones de fornicación, incesto y adulterio para justificar la descripción de estos hechos en su propia obra. Sade también emplea unas larguísimas notas de pie de página para documentar sus más exaltadas fantasías eróticas y darles con ello un carácter "científico".

Esta actitud dizque científica está respaldada a su vez por una actitud en cuya definición volvemos a entroncar con las exégesis posteriores de la obra de Sade y en particular con las ideas de Baudelaire. Detrás de las fantasías literarias de fines del siglo XVIII y de principios del siglo XIX está ese fermento cerebral, esa *exacerbatio cerebris,* como la llama Baudelaire quien en una sola frase parecía haber sintetizado genialmente esta actitud al referirse a la más consumada de todas las novelas del género: *Les Liaisons Dangereuses* de Laclos, cuya lectura había provocado en él la siguiente observación: *Ma tête seule fermentait; je ne desirais pas de jouir, je voulais* SAVOIR. Y es tal vez en esta frase en la que podemos encontrar la esencia de la sensualidad sádica, esa sensualidad encaminada a la posesión del fruto prohibido por el sólo hecho de ser prohibido, para SABER, para obtener esa sabiduría en la que los teólogos veían el pecado supremo contra el Espíritu Santo y que constituía una de las determinantes inmutables del pensamiento del racionalismo. Los personajes de Sade no se excitan en sentido pasional, sino sólo en sentido intelectual. No gozan, investigan. A tal grado esto es cierto que en una de las obras más consumadas de Sade, *Les 120 Journées de Sodome,* se abandonan por completo los métodos de narración novelística para conducir la obra enteramente como una investigación racional sobre las posibilidades de las combinaciones eróticas.

No obstante que en este sentido Sade participa de esa inquietud de su época, él trastoca los términos de la concepción moral que entonces imperaba. Según los filósofos materialistas de la Ilustración, en términos generales, todo estaba permitido porque todo era bueno, porque todo emanaba de los requerimientos de una Razón de orden positivo. Lo que hace Sade es invertir los términos de esta proposición. Para él todo es malo, todo es obra de Satanás. La práctica del vicio es una necesidad de la naturaleza humana para subsistir dentro del orden negativo de las cosas del mundo que exige la destrucción de sí mismo. El Mal es el eje en torno al cual gira el Universo. Es preciso por lo tanto practicar, hacer el mal para estar en conformidad con la naturaleza del mundo. "Sade, dice Praz, vacía el mundo de todo contenido psicológico que no sea aquel que se manifiesta mediante el placer de la destrucción y de la transgresión y su mundo está concebido como una atmósfera turbia dentro de la que sus personajes se degradan a la condición de meros instrumentos para la consecución del divino éxtasis de la destrucción." Esta exacerbación del sentido negativo de la vida llega al grado de hacerlo exclamar: "La imposibilidad de ultrajar la naturaleza es, en mi opinión, el más grande suplicio que puede sufrir el hombre". Y es justamente en esta frase suya en la que se manifiesta la más garrafal de sus contradicciones, pues si la esencia y el orden del mundo es el Mal, nada puede ultrajar tanto a la naturaleza de este mundo como la práctica de la virtud. El goce sádico supremo no sería sino la alegría de la expiación y del remordimiento, actitud que por otra parte es adoptada para algunos de sus personajes más importantes por Dostoyevski.

Imaginemos entonces el sentido que esta noción de la reversibilidad de la virtud puede tener para una interpretación, por ejemplo, del cristianismo. ¿Qué pasaría con la condición del hombre si resultara que San Francisco de Asís, por ejemplo, no fuera sino un "ultrajador de la naturaleza"? Aún dentro de esta torpe contradicción filosófica Sade plantea una disyuntiva inquietante. ¿Qué pasaría si esa contradicción fuera una posibilidad real de la moral?

A mitad del largo camino que va en el tiempo desde Sade hasta Bataille se encuentra Baudelaire. Tal parece que por arte de magia Baudelaire se encuentra a mitad de todos los caminos que llevan de una a otra parte en el ámbito de la literatura europea de los últimos 150 años. Se han querido ver en él los últimos resabios del racionalismo dentro del mundo romántico. Se ha querido ver en él también la prefiguración de este mundo nuestro sin nombre. Baudelaire es ante todo la persistencia de la inteligencia —no de la Razón— más allá de su época y la síntesis más genial de las ideas que lo anteceden. En uno sólo de sus libros, *Mon coeur mis au nu,* podemos encontrar la intelectualización de Sade, la síntesis de su verborrea racionalista transcrita al lenguaje de la inteligencia, así como también podemos encontrar ese meollo poético que está en el fondo de todas las grandes meditaciones. Baudelaire es la síntesis de Sade tanto como Bataille es nuevamente la filosofación de Baudelaire.

Repasemos algunos pensamientos de Baudelaire para ver hasta qué punto están relacionados con el pensamiento de Sade: "El amor —dice— es el gusto de la prostitución. No existe ningún placer noble que no pueda, en última instancia, definirse como prostitución". En otra parte Baudelaire dice lo siguiente: "Yo digo: la voluptuosidad única y suprema del amor está en la certeza de hacer el *mal*. Y el hombre y la mujer saben, desde el momento en que nacen, que en el mal es donde se encuentra toda voluptuosidad". Este pensamiento, como es fácil darse cuenta, plantea ya algo nuevo. Mientras que para Sade se trata simplemente de hacer el mal como un imperativo categórico, Baudelaire introduce el concepto nuevo de la voluptuosidad que es la prefiguración del erotismo tal y como lo vendrá a definir Bataille en nuestra propia época. Hay otra frase terrible de Baudelaire que bien podría ser de Bataille: "Hay en el acto del amor una gran similitud con la tortura o con una operación quirúrgica". En ella está contenida la esencia del erotismo que según Bataille es la violación de la interioridad del cuerpo humano que alcanza su más alto paroxismo en la fascinación que produce la contemplación de la tortura.

La idea del ultraje a la naturaleza es llevada por Baudelaire a otro plano que aquel en el que la concibe Sade. Para Sade la naturaleza es la manifestación de un orden que requiere el mal. Es un orden, además, universal. Baudelaire, sin embargo, que desecha de acuerdo ya con la reacción romántica de su época la idea de que la naturaleza es un orden, reclama una definición de índole estrictamente humana e individualista; en lugar de decir *la Naturaleza* dice *lo natural* y establece una definición de orden comparativo cuando contrapone este concepto a su contrario: *lo artificial:* "La mujer es *natural*

—dice— es decir abominable". Baudelaire ya no concibe el universo dentro de ese ámbito del erotismo en que el hombre y la mujer son los polos del compromiso vital. Lo que en Sade no era sino el ejercicio de ciertas ideas morales, en Baudelaire es la experiencia de sensaciones: "Por lo que respecta a la tortura —dice—, ella nace de la parte infame del corazón del hombre sediento de voluptuosidad. *Crueldad y voluptuosidad son sensaciones idénticas como el calor extremo y el frío extremo*".

Esta noción de la tortura como acto de voluptuosidad nos hace volver a las consideraciones de Bataille acerca de la naturaleza del erotismo. Si para Sade la subversión del orden de la naturaleza no era sino una expresión de la razón, si para Baudelaire no era sino la búsqueda de una sensación voluptuosa, para Bataille el erotismo es "esencialmente el dominio de la violencia y de la violación", sólo que como ya lo habíamos dicho antes, para Bataille esta violación comporta un componente trascendental, un componente, se puede decir, casi de orden místico: "¿Qué significa —dice— el erotismo de los cuerpos sino una violación del ser de quienes realizan este compromiso, una violación que linda con la muerte, con el asesinato? Porque —agrega— hay en el paso de la actitud normal hacia la de deseo una fascinación fundamental de la muerte". Esto lo conduce a concebir el erotismo como una transgresión, pero no necesariamente una transgresión que violenta la naturaleza del hombre sino que, por el contrario, la gratifica ya que es la expresión de una necesidad o de una inclinación apremiante por transgredir dos prohibiciones fundamentales: la de matar y la de fornicar. Para Bataille la transgresión de estas interdicciones es, ante todo, un método que conduce a ciertas vivencias de orden místico porque corresponden a una visión del mundo dentro de la perspectiva de una dimensión transcendental que es la muerte. La interdicción existe, según él, para ser violada metódicamente. La transgresión es un método y un rito. El homicidio gratuito no aporta esa visión transcendental de la vida en el orden místico pero señala esa inclinación que existe en cada uno de nosotros de matar. La guerra, el duelo, la *vendetta,* la caza, son los procedimientos y las argucias racionales de que se vale el hombre para gratificar esa inclinación. Cuando le es imposible hacerlo por estos medios se vuelve hacia el erotismo que al igual que el homicidio permite la violación de la interioridad de *otro* cuerpo. Es así que el suplicio es la más perfecta representación simbólica de esta tendencia porque es la representación en que se conjugan las identidades del homicidio y de la sensualidad: la muerte y la desnudez. "La desnudez no es más que la muerte y los besos más tiernos saben a rata", dice Bataille al final de uno de sus relatos más interesantes. ¿No está contenida en esta frase toda la esencia del universo de Sade? ¿No se concreta en esa identidad turbadora la figura y la obra del Divino Marqués?, del pensador cuya grandeza Swinburne había concretado en las siguientes palabras: "En medio de esta ruidosa epopeya imperial se destaca esta cabeza radiante, este pecho surcado de relámpagos... se siente circular por estas páginas malditas un escalofrío de infinito... aproximaos y escucharéis palpitar en esta carroña lodosa y sangrienta las arterias del alma universal... hay en estas letrinas algo de Dios... veréis apuntar por encima de toda una época sembrada de astros la figura enorme y siniestra del Marqués de Sade".

EL MATRIMONIO DEL CIELO Y EL INFIERNO

Texto capital en la historia de la percepción, si no de la poesía, de Occidente, *The Marriage of Heaven and Hell* es la síntesis sinóptica (o panóptica) de la actitud poética del gran visionario que fue William Blake. Nuestra época, tan proclive a asomarse a los abismos de la experiencia sensible trascendental, no ha sido parca en su búsqueda. Nerval (el de *Aurelia*) y el Rimbaud de la *Lettre dite du Voyant* y de *Une Saison en Enfer* han tenido un *essor* y un empleo no menos significativo en el orden de los métodos de interpretación y de creación poética que el que han tenido las exégesis modernas del Libro de Job, los Vedanta, los textos alquímicos, la poesía mística española y hasta las investigaciones acerca de la relación entre la lógica y las matemáticas, y su vigencia no ha sido menor en el estudio de la percepción como fundamento de una psicología del arte, que en el desenvolvimiento de las ciencias de la cultura en general. Las formulaciones psicoanalíticas han contribuido, sin embargo, a que la crítica no haya hecho una división tajante entre las dos formas de la percepción trascen-

71

dental, y sucede así que los territorios del sueño y de la visión no tienen una frontera tan definida como fuera deseable. Tanto más que a esa confusión, a esa imprecisión contribuye de una manera insistente la manipulación, muchas veces irresponsable, que la crítica ha hecho del concepto de "locura". La locura parece ser, a los ojos poco discriminantes, el *no man's land* entre el sueño y la visión poética. Esa interpretación no es del todo errada aunque, para los efectos que casi siempre se formula, carece por entero de rigor filológico. La poesía (en términos generales que sólo admiten la excepción de una poesía que trata, en el orden lingüístico, de la poesía misma) es una descripción de la tierra de nadie que se extiende entre el panorama subjetivo y el panorama objetivo.

De la misma manera es posible formular una teoría poética que no se funde ni en la alucinación ni en el sueño. Seguiría siendo ésta una poesía de la experiencia; una poesía de la experiencia de la visión. Se trata, en todo caso, de una poesía que expresa un sentimiento trágico del mundo estrechamente ligado, en la tradición europea, al mito órfico del descenso a los infiernos como origen de la visión poética, y no es difícil constatar la incidencia, en el poeta trágico, de esa traslación vertical cuyos polos son las más altas cimas como cuando Nietzsche nos habla *"aus hohen Bergen"* y el punto más interior de la realidad *"über von Innerraum"* que obsesiona a Rilke. Se trata, como quiera que sea, de una poesía centrada en el eje de la obsesión, de una paranoia si somos capaces de entender este término en su sentido etimológico estricto y no en la acepción secundaria con la que la psiquiatría clínica lo ha vulgarizado, pues es un hecho que la historia del arte misma es una historia de la obsesión. Si no lo fuera carecería de esa continuidad que la hace ser precisamente eso: historia.

A lo largo de toda su obra, Blake reclama para sí una categoría que parece estar investida de ambigüedad, pero que si se analiza justamente a la luz de esa obra con la que se instaura, define claramente la univocidad de esa pretensión. Blake se llama a sí mismo visionario y profeta. Y visionario no es más que quien ve visiones y profeta no es más que quien ve visiones que encierran la clave de un secreto acerca de lo que sobrevendrá; que es capaz de discernir en el símbolo del que está hecha su visión el significado, no de un futuro, sino de una fatalidad, de un destino.

Pero el orden de la cultura nos impone los límites expresables. Y en ese orden Blake funciona como un mecanismo ejemplar. *The Marriage of Heaven and Hell* no es sólo un documento que atañe a la dimensión trascendental. Es también un documento cultural de primer orden porque involucra todos aquellos aspectos del espíritu contemporáneo que tanto nos preocupan. Quien lo ponga de lado no hará sino poner nuestra época de lado, ya que la influencia que este texto ejerce no es, ni mucho menos, deleznable, pues son evidentes las manifestaciones que en la historia, no sólo del arte, sino de la cultura en su más amplia significación, parecen nutrirse de él.

No es un hecho casual que Blake haya sido contemporáneo de Hölderlin y de Novalis, ambos poetas del alma visionaria. Este hecho subyace a la ulterior emergencia de un romanticismo ávido de encontrar en el sueño la fórmula de la vida; un afán que por mediación de Nerval y de Poe franquearía los umbrales del siglo XX con la copiosa obra de los poetas surrealistas; pero es también contemporáneo del Goethe que se abismaba en la sublime interpretación fáustica del misterio. Con armas verbales menos afiladas que las del Geheimsrat de Weimar, el modesto grabador de Londres se empecina en una tarea no menos grandiosa, y si su obra no ha sido considerada con la misma universalidad que la de la mayor parte de la de sus contemporáneos ello tal vez se debe a que está inscrita dentro de los límites más subjetivos y menos "cultos" de la experiencia personal. Nutrido en la frecuentación de arquetipos que en su tiempo lo descalificaban para obtener un reconocimiento notorio: Swedenborg, los cánones secretos que rigen la composición de los grabados de Durero, las grandiosas y enigmáticas formas de las visiones miguelangelescas, aunados a un confuso entusiasmo revolucionario y libertario, Blake se aboca a la singular tarea, ya emprendida en la historia de la poesía inglesa por Milton, de hacer una *crítica* de las Sagradas Escrituras. Nada menos. Su obra no ha sido suficientemente estudiada hasta ahora como para saber si esa labor ha sido llevada a término. Sabemos sin embargo que está plagada de esplendorosas intuiciones y que es el testimonio de experiencias que en el orden de la visión delatan una penetración jamás igualada, como sabemos también que sus visiones le revelaron un principio en función del cual toda la metafísica judaico-cristiana se verá reinterpretada. Ese principio es el de simetría o paridad de los elementos que constituyen el mundo; de los DOS elementos, los hemisferios..., sólo que la operación que Blake efectúa no consiste tanto en diferenciar esos hemisferios como en hacer girar el eje que los aúna para colocarlo en una posición *vertical*. Desaparece entonces la supremacía teológica del "arriba" (*heaven*) sobre el "abajo" (*hell*). La tradición poética eminentemente "europea" que había derivado el mito fáustico de la creación poética, haciéndolo culminar en la visión dantesca del mundo, del mito primigenio de Orfeo se verá trastrocada, y lo que había sido el descenso se habrá convertido en un panorama que muestra simultáneamente las dos caras de la medalla sin que ninguna de las dos prevalezca sobre la otra. Blake mismo nos dice que él está en posesión de la Biblia del Infierno, la contrapartida enantiomórfica de las Escrituras que "el mundo habrá de conocer, quiéralo o no...", y no es del todo aventurado afirmar que esa Biblia del Infierno es el conjunto de su propia obra tan reiterativa en su afirmación de la "aterradora simetría" del mundo; una simetría por absolutamente todas cuyas cosas pasa un eje vertical.

Hasta ahora la tradición poética —sobre todo en sus momentos más altos en lo que se refiere a la consecusión de valores absolutos tanto en la forma y el fondo como en la expresión— había sido, en Europa, una tradición de grandes síntesis, la instauración de grandes principios de identidad entre lo alto y lo bajo, entre las tinieblas y la luz, entre las alturas de los versos finales de la *Divina Comedia* y del *Fausto* y los abismos de Pascal y las noches oscuras de San Juan de la Cruz; grabada al aguafuerte entre 1790 y 1793, *The Marriage of Heaven and Hell* es la obra de un poeta visionario como el que

Rimbaud preconizaba y exigía a la tradición poética europea cumplir en el futuro ¡casi cien años después! Blake no es ni un poeta místico como San Juan, ni un poeta religioso como Crashaw, ni un poeta filosófico como Goethe, sino un poeta situado en el centro de una visión total. Por ello es un gran poeta moderno.

El matrimonio del Cielo y del Infierno es un documento que da cuenta de la visión primigenia de una idea genial a lo largo de la cual se centran ya algunas de las más esforzadas tentativas de la poesía de nuestro tiempo como el conocimiento de la *extensión* real de la percepción y la relación que existe entre ésta y la realidad o la ilusión del mundo, aparte de otras muchas cuestiones —como las de índole ética—, ajenas a un escrito como éste que no pretende considerar el texto sino como el testimonio de una experiencia de visión circular desde un centro.

GEORGES BATAILLE Y LA EXPERIENCIA INTERIOR

Para quienes se han interesado por toda esa literatura surgida recientemente en torno al análisis de la personalidad secreta del hombre contemporáneo, el nombre de Georges Bataille no será sin duda desconocido. Filósofo, ensayista, crítico de arte, novelista, Bataille fue una de las personalidades más interesantes en la vida intelectual francesa a partir de la primera eclosión del movimiento surrealista durante los años de 1920. Profundamente interesado en conciliar facetas antagónicas de la vida humana, su obra revela, en su carácter psicológico y antropológico, una intensidad abstrusa y sorprendente. Al lado de la euforia "sexológica", Bataille investigó concienzudamente el trasfondo filosófico del erotismo y es quien por primera vez traza, con cierta exactitud, la línea divisoria entre el erotismo considerado como característica diferencial del hombre y quien esboza por primera vez también la estrecha relación que encuentra entre la sensualidad y la muerte: "¿Qué significa el erotismo de los cuerpos si no una violación del ser de los amantes, una violación que linda con la muerte, con el homicidio?" Basada en su idea de la discontinuidad del hombre que busca en la relación erótica la creación de una "continuidad" que a la vez que lo transciende le es ajena, Bataille funda una clasificación del erotismo de acuerdo con los grados de continuidad que se establecen entre los contrayentes del compromiso erótico. Esta clasificación lo lleva a hacer un estudio exhaustivo de las tres formas fundamentales del erotismo que él acepta: erotismo de los cuerpos, erotismo del corazón y erotismo místico. Mediante esta clasificación Bataille reduce toda la actividad trascendente del hombre al erotismo. La importancia de esta idea reside sobre todo en el hecho de que la concepción de lo erótico se funda para el autor, esencialmente, en el hecho de que el erotismo más que una forma de dar origen a nuevos seres humanos es un método de disciplina interior que pretende sobreponer la conciencia a la posibilidad ineluctable de la muerte mediante su imitación en el acto sexual. "Lo que está en juego en el erotismo es siempre una disolución de las formas constituidas... de esas formas de vida social, regular, que fundamentan el orden discontinuo de individualidades definidas que somos." Para formular esta idea, Bataille parte de la ampliación de la concepción de "lo prohibido", del tabú que ya ha sido ampliamente estudiada por los antropólogos y por los psicoanalistas. Bataille introduce, respecto a ella, una idea sorprendente. El tabú, tal y como ha sido definido por la antropología clásica —afirma— se expresa invariablemente mediante símbolos mágicos. Ello lo relega a una función real sólo dentro de aquellas sociedades primitivas que se sustentan, justamente, en el pensamiento mágico. Esta concepción le resta a la interdicción su carácter de universalidad trascendente y lejos de constituirla en la raíz verdadera del sistema social, la convierte, simplemente, en una costumbre inveterada. El cadáver y la posibilidad ontológica que tenemos todos los hombres de convertirnos en carroña —más que cualquier símbolo mágico—, es lo que constituye, esencialmente, no sólo la "prohibición" en contra de la cual se ejerce la violencia desencadenada por el erotismo, sino su prefiguración mediante el acto sexual, su fin último.

Estas investigaciones se concretan en el ensayo de Bataille intitulado *Les Larmes d'Eros* (Pauvert, Paris, 1961). Aquí, mediante la utilización del mito como vehículo de la expresión de ideas, Bataille analiza, por medio de un método que se sustenta no sólo en la meditación filosófica, sino también en el análisis y en el ordenamiento de datos iconográficos surgidos de la historia del arte, la relación estrecha que existe entre el amor y la muerte. Para fundamentar esta relación Bataille nos remite, en un principio, al significado semántico de algunas expresiones que se emplean para definir diversos aspectos del acto sexual. Encuentra que estas expresiones siempre aluden a la muerte y a la posibilidad inherente al cuerpo de convertirse en carroña. Ilustrando sus aseveraciones con las "metáforas" inconscientes que aporta la historia de la pintura, el autor se recrea largamente en exponer ante nuestros ojos la realidad de los conceptos. Es particularmente significativo el hecho de que esta investigación revalora el arte barroco y le concede su justa medida, no sólo como documento del espíritu sino también como expresión plástica afín a la gran poesía mística del siglo XVII. Este estudio, que principia con la exégesis de las figuras itifálicas rupestres de Europa, abarca hasta nuestros propios tiempos. Es particularmente impresionante la fotografía del suplicio chino llamado "Leng-Tch'e", imagen en la que Bataille advierte todas las características esenciales del erotismo: la crueldad, la violencia, la violación de la interioridad del cuerpo humano, la profanación de las estructuras vitales, el atentado contra la interdicción, la fascinación del suplicio y el éxtasis místico.

La interpretación psicoanalítica siempre ha topado contra el muro de la imposibilidad en el caso de la interpretación de la experiencia mística. Denis de Rougemont había ya apuntado en su ensayo *L'Amour et l'Occident* la ambivalencia de la experiencia mística y la experiencia amorosa. Es, sin embargo, Bataille el que más certeramente da a esta ambivalencia el carácter de una identidad calificando a la experiencia mística de erotismo. Conforme a este esquema, la interpretación del éxtasis se hace factible. Es justamente ésta la tarea que acomete Bataille en la última parte de *L'Érotisme*. En su especulación, la definición de la experiencia mística representa la síntesis de dos formas de erotismo que concibe como premisas: el erotismo de los cuerpos y el erotismo del corazón. La experiencia transcendental del erotismo místico comporta ya una referencia que se centra en la muerte que es el primer principio del erotismo en general.

Profundamente influido por el pensamiento de Nietzsche, Bataille se adentra en los vericuetos legados por el romanticismo a la cultura occidental con el paso firme del racionalismo cartesiano que, quiérase o no, muchas veces conduce a un romanticismo mucho más feroz. Como quiera que sea, el valor fundamental de la obra de Bataille reside no tanto en la fenomenología del erotismo que él pretendió instaurar, como en la meditación que quiso legar, mediante la descripción trascendente del erotismo, a la definición de la libertad humana. Tanto más curiosa resulta esta tarea de Bataille si tenemos en cuenta que no es sino la expresión metódica de una especulación emprendida hace casi dos siglos, en una de las mazmorras de la Bastilla, por otro curioso pensador francés: D.A.F. de Sade.

Influido también por el ateísmo místico de la India, quiso Bataille incorporar a la cultura de Occidente la idea de que la experiencia mística no es una experiencia de relación, sino una experiencia del Yo. En su libro, *Somme Athéologique,* Bataille define la experiencia mística unilateral como la experiencia que define las culturas. Allí mismo intenta precisar el sentido de la experiencia interior a la que se llega mediante un método particular de meditación. Todo ello hace pensar que Bataille pretendía, a toda costa, construir una filosofía sistemática que sintetizara la *experiencia interior* con la realidad. Cuando intuyó que el procedimiento para lograrlo se encontraba estrechamente ligado a la experiencia erótica, señaló, seguramente, la importancia de una verdad que en nuestra época, en nuestra sociedad, sólo comienza a ser evidente. La obra de Georges Bataille viene a poner puntos suspensivos a una de las afirmaciones más turbadoras de nuestra historia y de nuestra cultura.

JOSÉ JUAN TABLADA

Doblemente difícil se vuelve la tarea del crítico que pretende analizar la obra de un poeta que, como Tablada, dice de sí mismo:

Es de México y Asia mi alma un jeroglífico...

pues esa fórmula, a pesar de su carácter intempestivo y lírico, encierra un secreto, o cuando menos un enigma cultural ante el que chocan todas las tentativas de escindir los componentes de una obra poética más allá de lo que, en la poesía, resulta la última actividad posible. Esta actividad consiste en determinar claramente cuáles son los objetivos que el poeta persigue y en qué medida sus realizaciones corresponden efectivamente a la consecución de ese fin.

Cuando Tablada afirma (en un poema que lleva el significativo y crítico título de *Exégesis*) su adscripción espiritual al Oriente mediante el símbolo de una técnica, nos está diciendo dos cosas: en primer lugar que su poesía, hasta 1918, sigue siendo fiel a los postulados del modernismo que preveía desde sus orígenes el exotismo literario como uno de sus veneros más importantes, pero también que si ese exotismo se volvía hacia el Oriente encontraría la barrera de un principio general de la visión (y por lo tanto de la escritura), es decir del pensamiento, radicalmente diferente del que habría operado en la poesía tradicional, no se diga de la poesía en castellano, en Occidente. Esta diferencia radical de las formas lógicas no está ausente en todo el afán fundamental que anima algunas de las más importantes creaciones artísticas del presente siglo, un afán que, cuando menos por lo que al lenguaje se refiere, es el que permite distinguir claramente entre las realizaciones de la ciencia y las realizaciones del arte. Así como la ciencia requiere cada vez con mayor urgencia la amplificación del registro de la expresión, el arte, por su parte, tiende en una de sus dimensiones más relevantes: la metódica, a volverse más instantáneo. Síntesis y análisis son los dos polos de la expresión.

La fijación del fin poético en cualquiera de los polos que por lo que al lenguaje respecta se le ofrecen al poeta, admite también un variadísimo número de métodos a emplear. Métodos a veces tan rigurosos que han permitido afirmar la existencia de una ciencia de la poesía; métodos otras veces tan ambiguos que en ellos se funda la poesía mágica; en fin, que la historia de la poesía parece no ser otra cosa que la reseña de los métodos que los poetas han empleado. En el caso de Tablada, el recuento, cuando menos, de esos métodos es difícil por el gran número de ellos que el poeta empleó; desde los métodos gráficos de síntesis visual hasta la teosofía y pasando por la estética de Verlaine y la de López Velarde. En el sentido de las influencias literarias es posiblemente Tablada el más complejo de nuestros poetas, adscrito como estuvo a todas las tendencias más importantes de la poesía, no sólo en castellano, sino también de otras lenguas que surgieron después del modernismo. Pero si tenemos presente más el fin que se proponía que su caótica elección de métodos vistos a la luz de la historia de la poesía reciente, nos daremos cuenta que, si no de una manera directa, su poesía pretendía alcanzar un fin perfectamente preciso. Ya en 1928 decía de él Jorge Cuesta: "Es claro que no sin peligro se pueden dar esos saltos de Baudelaire a Guillaume Apollinaire; de este último a los poetas japoneses y de ellos a Ramón López Velarde. El resultado, salvo el mérito incontestable de pequeñas realizaciones, es la volubilidad estética del artista, cuya evolución ha procedido, siempre, por ondas excéntricas".[1] Pero en 1928 la perspectiva dentro de la que estaba inscrita la poesía de Tablada no se había precisado tanto como ahora, a cien años del nacimiento del poeta y a veinticinco de su muerte: cuando ya hemos visto nacer algunos frutos de sus inquietudes materializados en la nueva poesía. En el poema con que cierra su antología de 1943, que lleva el esotérico título de *Fuerza Vital* y que seguramente es producto del último entusiasmo de Tablada: la teosofía, dice:

> *La Fuerza es lo absoluto: La Causa*
> *Única. La Teleología.*
> *Allí late, en ella encauza*
> *Y no hay mayor sabiduría!*

La tardía anagnórisis entre el poeta y su finalidad dan clara cuenta de esa conciencia —tal vez inexpresable por medio del lenguaje— que anima todas sus producciones. Ya en vida del poeta la juventud le había tendido los equívocos lauros de una vanguardia que no ha avanzado en los tres mil años de historia de la poesía que contamos, más que en dirección de la depuración y refinamiento de los métodos mediante los que se la crea. El resultado final es invariable y único, a pesar de que casi siempre la finalidad permanece inaccesible y en las realizaciones de los poetas solamente cobra forma la intuición de esa meta perseguida y nunca alcanzada.

Tablada podría ser un arquetipo de esta relación entre el poeta y la poesía e inclusive sus distracciones teosóficas son un índice certero de su denodado afán de conseguir, mediante el lenguaje, una síntesis sensible de todo un complejo verbal.

Quiso una improbable determinación histórica que el paso o la transición de un método a otro diera por resultado eso que a justo título podría llamarse la poesía moderna y que difiere de la que la antecede fundamentalmente en una cosa: la imagen poética es el fundamento de la nueva poesía; de la anterior lo era la idea poética. Y en ese orden Tablada fue el buscador de la imagen sensible de la imagen poética.

Fue el propio Victor Hugo, último de los grandes poetas románticos, el que calificó la poesía moderna con las palabras que dirigió a Baudelaire en ocasión de su lectura de *Les Fleurs du Mal.* El *frisson nouveau,* la sensación propiamente, se vio a partir de entonces elevada a la potencia poética y la poesía, la actividad poética estaba estrechamente ligada al funcionamiento ideal de los sentidos. Poco a poco se fue instaurando en la conciencia de los poetas la noción de que el medio más certero para obtener ese estímulo ideal de los sentidos era la imagen poética, directamente dirigida a los centros nerviosos o que de ellos provenía directamente. Tablada —en los términos de su afiliación al modernismo, aunque ésta hubiera sido casi siempre crítica— no fue ajeno a esa tentativa de reducir todo el mundo sensible a una fórmula palabral que fuera capaz de contener un máximo de carga estimulante. *La Canción de las gemas* que tiene resonancias de *Le chevelure* de Baudelaire, representa tal vez uno de los momentos más característicos en los que el poeta parece sintetizar en una estructura verbal que combina las convulsas y ricas composiciones de Gustave Moreau con una intención rítmica cuyos primeros maestros hubieran sido, en América, Edgar Allan Poe y José Asunción Silva.

El ópalo triste, la gema sombría
y el flavo topacio de pálidos oros!

No han estado en desacuerdo los críticos al considerar *Ónix* como el mejor poema de Tablada, pero justo es aclarar que se trata de una obra maestra de la primera época de Tablada, con la que se cierra brillantemente. Tanto la estructura como los pormenores de la versificación y la acentuación dan cuenta de un afán modernista, pero hay en la disposición estrófica algo que revela ya algunas de las inquietudes que animarían en los poemas que escribió después. De hecho, se puede estar de acuerdo con la autorizadísima opinión de don José María

González de Mendoza en el sentido de que *Ónix* es a la vez su mejor poema y el más representativo, aunque nosotros limitaríamos esta opinión a la primera época de Tablada en la que, por lo demás, se hacen oír interesantes acentos.

Acentos tales como los que se irían concretando cada vez con mayor tangibilidad poética en algunas piezas posteriores a *El florilegio*, publicado por primera vez en 1899 y, con adiciones, en 1904. Los años que comprenden la "época media" de Tablada y que culminan con *Al sol y bajo la luna* en 1918 corresponden al periodo de máxima apertura del poeta hacia las corrientes exteriores. Ese libro es como el rendimiento de cuentas de una enconada búsqueda de la expresión poética personal. Tablada abreva durante esos años en todas las fuentes y si no las agota consigue, a veces, con su tenacidad experimental y exploratoria, descubrir nuevos manantiales que, sobre todo debido a una inconsistencia crítica, habían permanecido ignorados. Conviven en estas páginas poemas que, por el sentido de la "imagen" más que por el de la "idea" justifican la opinión de Luis G. Urbina, para quien Tablada "fue el primero que dio en mi país la nota bodeleriana",[2] como *Los ojos en blanco,* con poemas que permitían caracterizar a Tablada como el más fervoroso postulante de una vanguardia extremista como *Lawn-tennis,* en el que yo, por primera vez me percato, porque la veo y la oigo, de la finalidad que el poeta habrá de perseguir a partir de allí. Tablada se dio perfectamente cuenta de que era el castellano la lengua a la que era posible transcribir poéticamente el traqueteo vibrátil de las raquetas combinado con el escueto rebote de la pelota, lo que no tendría mayor importancia si no fuera porque en ello se combina con el elemento onomatopéyico del lenguaje otro elemento de carácter estrictamente visual que habría de figurar prominentemente en las posteriores tentativas: el elemento visual estrófico.

Quinta Avenida es seguramente el más conocido de todos los poemas de Tablada, pero no más allá del dístico inicial de escasa hondura poética, que antecede a la estrofa egregia:

> *¿Soñáis desnudas que en el baño os cae*
> *Áureo Jove pluvial, como a Danae,*
> *O por ser impregnadas de un tesoro,*
> *Al asalto de un toro de oro*
> *Tendéis las ancas como Parsifae?*

La cual prefigura con notable perspicacia los posteriores logros de una poesía que, proviniendo de la fusión del simbolismo y del Parnaso, se haría llamar "poesía pura" y cuyos más altos exponentes provendrían, también como los modernistas americanos, aunque por otra vía de las tentativas, iniciadas por Poe, de formular el principio general que rige la poesía. Y es de lamentarse que aparte del breve "espectáculo" de introspección irónica que el poema resume en su último verso, la mayor parte de los críticos que lo han comentado no se hayan percatado de la tenue pero unívoca relación que señala con las delicadísimas manipulaciones del lenguaje poético puro.

El poema *Noche del trópico* me ha parecido muy interesante por ser una construcción en que el diseño plástico del poema augura ya un procedimiento característico de Tablada que consiste en rescatar el valor de versos pobres mediante las virtudes de los versos alternos en que se resuelven por la rima, como, por ejemplo, el horrible

Sobre el profundo abismo la luz es móvil nata

es rescatado por el perfecto

Y en esa temblorosa película de plata

Etcétera...

Con una forma ligeramente distinta se aplica el mismo procedimiento al poema en su totalidad, que se ve rescatado visualmente por la escisión del verso final para formar una pequeña estrofa con las tres cláusulas anapésticas que lo componen y cuya forma ideal hubiera sido:

```
            E
            s
            i
            g
            u
            a
            l
  a  u n a  d  c r u z
            e
            c
            r
            i
            s
            t
            a
            l
```

Ambas formas de este procedimiento cobrarían extraordinaria importancia no sólo en la obra de Tablada sino que, por lo que respecta al valor poético asignado a la estructura de la estrofa y a su forma visual, su empleo se prolongaría hasta nuestros propios días.

Tablada fue el primero en percatarse de que, en sí, la estrofa tenía una forma visible y que esa forma constituía, de hecho, una categoría poética no deleznable. Esto se debe al contacto que Tablada estableció espiritualmente en los años que mediaron entre *El florilegio* y *Al sol y bajo la luna* con las formas orientales de poesía visual y caligráfica, años todos que anteceden y durante los cuales, sin embargo, se estaban prefigurando en su obra las ideas contenidas en un documento de estética que ya había sido escrito pero que no sería publicado sino en el mismo año que su libro: *The Chinese Written Character as a Medium for Poetry* del sinólogo norteamericano Ernst Fenollosa. Como quiera que sea, fueron éstos los años durante los que Tablada tuvo su primer contacto con el Japón y con el mundo oriental. Este contacto fructificaría plenamente, después de haber sido aceptado conscientemente y expresado en poemas como *Exégesis* en los que la noción de "jeroglífico" se ha formado ya claramente, en los delicados *jaikais* que constituyen tal vez los instantes más puros y más perfectos de la larga carrera poética de su autor y en sus poemas ideográficos.

Mucho se ha dicho que fue Tablada el introductor del jaikai en la poética castellana, pero ésta es una verdad parcial o equívoca: Tablada es el inventor de una forma equivalente al jaikai, no sólo en la poesía en español, sino en Occidente, y su afán de extrema síntesis verbal no haría sino poner en evidencia la imposibilidad de ir más allá sin subvertir no sólo la naturaleza sintáctica esencial de la lengua, sino también su forma aprehensible tradicional, pues más tarde el propio Tablada daría los primeros pasos hacia la concreción visual en sus poemas "ideográficos" posteriores, entre los que destaca eminentemente *Li-Po,* convencido como ya estaba de que existía una diferencia radical entre lo que se llama leer en Occidente y lo que así se llama en Oriente y que por lo tanto tendría que existir esa misma diferencia entre lo que en uno se entiende por escribir y lo que así se designa en el otro.

Tentativa consciente de dar mayor concreción visual al poema: *Nocturno alterno.* En este poema se obtiene una interesante posibilidad combinatoria que permite hacer de él dos lecturas diferentes y en el que el poeta ha sintetizado dos o tres poemas diferentes en uno solo, prosiguiendo la búsqueda de concreción estrófica mediante el rescate consecutivo de los versos iniciada en *Lawn-tennis* y, especialmente, en la última estrofa de *Noche del trópico.*

Ya para 1928 las aspiraciones poéticas de Tablada se habían vertido al cauce que para tantos poetas parecía haber abierto López Velarde. Sin cejar en su persecución de las cualidades eminentemente visuales a las que su imaginación y temperamento lo llevaban, Tablada trató de introducir muchos elementos extraídos de la vida popular en ceñidas construcciones que ahora se caracterizan por una modulación concienzudamente prosaica de los tonos en que los versos están formulados y por un rebuscamiento exhaustivo de rimas cromáticas y exóticas:

Los áureos chiquihuites
están llenos de chalchihuites.
Verde jaspe de los chilacayotes:
y alabastro de los chinchayotes...

Evidentemente representativo de esta época de la poesía de Tablada es *Tianguis,* poema de imágenes y poema formado por muchos pequeños poemas en los que la nota sintetista que con tanto brillo suena en los jaikais resuena todavía, pero transpuesta a un registro menos exótico y en el que la rima inusitada y explosiva tiene una función eminentemente colorística. Tan preocupado como siempre estuvo Tablada del carácter estructural o de puro diseño del poema no dejó, sin embargo, de buscar un procedimiento para, de acuerdo con los sentimientos más característicos de esas formas de vida descritas en sus poemas de esta época, llevar al poema la emoción que los pintores mexicanos estaban ya en vías de concretar para cuando se publicó *La feria,* libro en el que recoge sus poemas inspirados en la vida mexicana.

Bajo la misma clasificación caen poemas como *El ídolo en el atrio,* inquietante "visión de los vencidos" en la que el elemento trágico se ve sustituido por una secuencia de imágenes aisladas que conforman un mosaico lleno, a la vez, de tristeza y de luz, y *El loro* que complementa con una explosión de color y de vida la zoología poética de *El ídolo en el atrio* y a la que Tablada había contribuido, después de la sustitución del cisne de Darío por el búho de González Martínez, con una vasta ornitología de gallos, pijijes, loros, guajolotes y casoares.

Entroncó a veces este sentimiento nacional y hasta populista con extraños veneros de delirio y de absurdo. El poema *Agua-fuerte*, además de ser un ejercicio de ritmos inusitados prefigura, al igual que *Mujer hecha pedazos*, los chispazos dadaístas, inmediatos, desorganizativos de poemas como *Ja..!Ja..!Ja..!* y especialmente *El caballero de la yerbabuena*, que merecería lugar de honor en cualquier antología surrealista, pero que son poemas que valen sobre todo por su condición de "registro" de todas las posibilidades a las que Tablada había sometido su vocación poética. Es la amplitud de su búsqueda más que la profundidad de su tono lo que contribuye a formar de él una imagen kaleidoscópica, rica en todos los aspectos en que es posible desglosar los elementos que entran en la composición de una obra poética que se nutre de todas las fuentes que brotaron durante la vida de su autor.

Muchas veces los cauces por los que discurre la obra poética son de ríos circulares; pero los de la poesía de Tablada no confluyeron en su manantial sino después de que el poeta había agotado las posibilidades de lo que había sido su principal misión: la de dar al poema una existencia *visual*. No fue Tablada ajeno a esta tendencia que tan imperativamente y que por toda suerte de accesos —"exóticos" los más—, ha impregnado la estética de Occidente en lo que va del siglo: desde la del *Leitmotiv* wagneriano que condensaba en una sola fórmula musical la totalidad del personaje del drama lírico hasta el cubismo pictórico y escultórico que, en su momento culminante, buscaba la síntesis del espacio o del punto de vista subjetivo; hasta los denodados esfuerzos realizados por Eisenstein de sintetizar la forma y el movimiento de la acción dramática mediante el procedimiento cinematográfico de montaje que se inspiraba directamente en la estructura de los caracteres sintéticos de la escritura china. Poetas de otras lenguas tampoco fueron ajenos a este imperativo de la lingüística poética. Apollinaire con sus *Caligrammes* y Pound en posesión de los principios que Fenollosa había formulado en el ensayo que, por interés del propio Pound, sería publicado en 1921, abrevaron en la fuente de la forma visual del poema al mismo tiempo que Tablada, y dejaron constancia —como él en su notable tentativa ideográfica, *Li-Po*— de la particular latitud sensible a la que el poema podía ser elevado visualmente.

Pero al cabo de ese extremo visual al que Tablada había pretendido elevar el hecho eminentemente conceptual que es la palabra, los ríos de su poética vuelven al cauce original, todavía en cierto modo modernista, de *El florilegio*. La antología hecha por el señor González de Mendoza dos años antes de la muerte de Tablada y en cuya disposición no estuvo ausente la opinión del poeta, incluye antes de *Li-Po* —impreso regularmente— dos poemas extraordinarios: *Canción de las escalas de Oriente* que en el orden de la sensitividad inmediata, vuelta hacia el poema, hacia la creación verbal en la que se combina la sonoridad y el poder de evocación de los sonidos puros, pletóricos de resonancias literarias y personales en los que a una sola imagen —una de las más altas— que la poesía invoca, el mar es uno de los términos.

Junto a la *Canción de las escalas de Oriente* está el poema *Nubes,* que marca la vuelta a su origen, al punto en que el gran círculo poético se cierra y que convierte a Tablada no sólo en "introductor del modernismo" en México, como dijo de él Amado Nervo, sino en —desde una posición de vanguardia constante— el último de los poetas de esa tendencia. Buscó las resonancias audibles o visibles más que la nota fundamental del canto; más la estructura del poema que su emoción prefirió, después de todo, y a pesar de su profunda raíz modernista la estética de la forma a la de la música. Su influencia se extiende muy claramente desde los poetas del grupo *Contemporáneos* que aprendieron de Tablada la concisión del verso y adoptaron algunas categorías visuales que él había establecido para el poema, hasta los poetas de nuestros días que reconocen la eficacia de sus procedimientos para conseguir la concreción real del poema. No renegó de ninguna de las estéticas que había adoptado como dogmas; antes bien trató de conducir a cada una de ellas al extremo liminal de sus posibilidades sin forzar jamás las barreras que la naturaleza esencial del lenguaje le ponía, pues a pesar de su insaciable sed técnica sabía que el conocimiento más preciso de un arte como el de la poesía, colinda con lo inefable.

NOTAS

1 *Antología de la poesía mexicana moderna.* Editada por Jorge Cuesta. Contemporáneos, México 1928. p. 62.

2 Cito de la excelente *Antología del Modernismo, 1884-1921* de José Emilio Pacheco, p. 29. Ediciones de la UNAM, México 1970.

LA SERPIENTE Y EL BÚHO

Casi nada, en los términos que definen, aunque sea vagamente, los límites, el origen o la naturaleza de la poesía, permitiría asociar los nombres de Paul Valéry y de Enrique
González Martínez. Si bien en el contexto histórico y cronológico son contemporáneos, ya que ambos nacieron en 1871 y
murieron con pocos años de diferencia, sólo bajo muy rebus-
cados o sutiles rubros sería posible inscribir sus nombres o encontrar el *trait d'union* de sus obras. Mientras que para el poeta francés la poesía es la más exacta de todas las ciencias, para
el mexicano es la prodigiosa, santa y samaritana "donadora
del ritmo y de la rima..."; si ambos fueron los más altos poetas
de su patria y de su momento y ambos fueron poetas de su
tradición, el francés, en nombre de Stephane Mallarmé, en-
tendió muy bien la lección poética de Góngora (y de
Gracián) que le hubiera sido ajena por tradición, González
Martínez fue tal vez quien en castellano con mayor perfección comprendió el ejemplo de la tradición poética francesa
de la que Valéry era, si no el continuador, y para emplear un

término que le hubiera sido grato, sí la resultante. De ello dan buena cuenta tanto la doctrina poética de Valéry que se funda en la posibilidad de un desarrollo retórico del pensamiento poético, como las traducciones de poetas franceses que hizo González Martínez. Bastaría un sólo ejemplo para hacer manifiesta la asimilación de valores tradicionalmente ajenos mediante el empleo de un lenguaje poético común: la traducción del poema de *El árbol* de Emile Verhaeren. (Se sobreentiende, claro, que no hago distinción entre poetas franceses y poetas belgas. No hay muchas razones que la justifiquen, especialmente en el caso de poetas como Verhaeren, a quien López Velarde llamó el cantor de la catedral de Reims.)

Ninguno de estos dos poetas fue un revolucionario, cierto; o lo fue en el sentido en el que la tradición poética exige que los poetas subviertan la forma de la poesía. En el tiempo de ellos fue Laforgue, en la medida de su vasta influencia sobre los procedimientos formales que empleaba la suya y la de otras lenguas, el gran revolucionario de la poesía de Occidente en general; un poco como para la nuestra (hablo en América) lo fue Darío. Pero tanto Valéry como González Martínez fueron poetas que dieron un salto. Valéry hacia atrás para entroncar nuevamente el cauce de la poesía francesa en el torrente que Victor Hugo había desencadenado, un torrente cuyo extremo romántico se sustentaba —como el romanticismo alemán de Goethe y el inglés de Keats y Shelley— en la invocación y en la noción de "lo clásico"; González Martínez un salto para zafarse de "la musicalidad", ya demasiado trivial, que los modernistas americanos y luego los españoles habían heredado de la *ars poetica* de Verlaine a través de Darío y que había venido a parar en púberes canéforas.

Subyacen a las experiencias, tentativas y realizaciones de estos dos poetas los principios de sendas teorías, de distintas concepciones de la poesía que sólo se identifican por una atención fija en la operación precisa del espíritu que hace de la poesía una forma del conocimiento. En ese sentido el poeta mexicano se sitúa, quizás, más allá de a donde llegó el poeta francés, para quien el pensamiento poético era algo que se *aplicaba* con el fin de obtener una extensión del conocimiento; un método crítico para saber cosas acerca de la naturaleza del pensamiento mismo. Para González Martínez la poesía es, a qué dudarlo, la forma más alta de un fenómeno o de un hecho acerca del cual Valéry no llegó a interrogarse jamás: el de la naturaleza de su propia vida.

Para Valéry la poesía es una función, en el sentido matemático que este término tiene, de la inteligencia. Para González Martínez la poesía es la expresión de una forma especial, sublimada, del conocimiento que es la sabiduría. Atiende a esta diferencia el empleo de símbolos, tan discriminados, que ambos poetas hacen. Si la condición común de su poesía es el rechazo de la "imagen", igualmente común les es la búsqueda en el caso de Valéry de la "idea" poética y en el caso de nuestro poeta, del precepto. Si en Valéry está el germen en su estado puro, en González Martínez está el contacto y la conjunción de la idea con la vida: la sabiduría.

La elección del emblema poético no deja tampoco lugar a dudas. Así como la inteligencia es aguda, rápida, penetrante y esquiva, la sabiduría es estática y profunda, lentísima en sus movimientos, taciturna. Si la inteligencia está dotada de una posibilidad ambivalente en sentido moral, la sabiduría se dirige claramente al provecho del alma; si la mayor belleza de la inteligencia puede también residir en su malignidad, sólo en lo que atiende al bien y a la nobleza del espíritu puede esa fase ulterior de la inteligencia que es la sabiduría ser el instrumento mediante el que el prodigio poético se realiza. Para Valéry, no hay que olvidarlo, la poesía era un acto de la voluntad de conocimiento, mientras que para González Martínez era el don de una musa o la realización de una vocación, de una vocación situada en el centro de la vida de los hombres y no en el centro de su mundo intelectual. Para él la tarea poética se dirime en cantar los movimientos particulares de la emoción y no en exponer cantando las proposiciones. Para González Martínez la poesía es un axioma; para Valéry un teorema. En la medida en que uno lo recibe lo considera un don y cree en la inspiración; en la medida en que el otro la construye, cree en el análisis y en el método.

Reside tal vez en la elección del emblema poético la verdadera inteligencia o la verdadera sabiduría del poeta, la reducción de todo el contenido de la obra o de la vocación a un solo término que los expresa claramente. En la misma medida en que Valéry es el poeta del enceguecedor mediodía del espíritu, marino, exacto y perfecto, geométrico en su esencia, González Martínez es el meditador nocturno, el filósofo nictálope que canta serenamente la ambigüedad del mundo de la media noche del alma en la que la definición de los contornos se hace difícil y sólo perceptible a las intuiciones imprecisas de la inspiración.

Pero esas actitudes tan opuestas tienen un centro en torno al que giran; cada una de ellas traza el hemiciclo que compone el gran círculo de la Poesía: un círculo simbólico en el que la inteligencia, es decir la forma más restallante del ser y la reflexión, su continuidad y su persistencia; lo directo y lo que se vuelve por la meditación perfecto, se encuentran en el espejo de agua del Narciso. Hermosa unidad de lo subjetivo y de lo objetivo en una sola figura que aúna el rostro y su reflejo, el alma y su operación en el mundo: inteligir. Honor altísimo a ese connubio, a ese instante del espíritu en el que la poesía es, indistintamente, el postulado y la demostración. Honor a la figura de Narciso que con tanta claridad en la obra de estos poetas nos revela la naturaleza tan sagrada y tan próxima de la Poesía.

TRES POETAS

El año de 1971 conjuga la conmemoración de tres aniversarios altamente significativos en la historia de la poesía mexicana moderna y se suman los nombres de los poetas celebrados en el signo que define la gran transición de las formas "musicales" de la poética del modernismo a las más ceñidas, más rigurosas, más intelectuales e imaginativas de la nueva poesía. En el parámetro que instaura el primer centenario del nacimiento de José Juan Tablada y de Enrique González Martínez con el cincuentenario de la muerte de Ramón López Velarde y de la publicación de su poema *La suave patria*, se muestra el panorama, vasto ya de un siglo, de una metamorfosis, como todas, sorprendente: la que ve nacer, a la luz que la obra o las inquietudes que estos poetas afocan sobre el instante en blanco en que una tradición ya exhausta (la española) y una revolución que ha culminado (la del modernismo), se confunden, una poesía definida y caracterizada tanto en su forma como en sus objetivos, una poesía consciente de sí misma.

Le debe a Tablada la nueva poesía el entusiasmo formal por

la poesía como una técnica que puede ser trascendida o que, cuando menos, es capaz de ampliar los límites que la tradición de una sensibilidad poética demasiado estrecha le asigna. Fue tal vez Tablada el primero en percatarse de la condición de unidad esencial que rige sobre el poema, de la vida independiente y única que alienta en esa configuración de palabras que se sintetizan en una expresión inmediatamente aprehensible como forma totalizadora de una emoción. Inventor o adaptador —cuando no intérprete— de métodos y procedimientos exóticos o inusitados, contribuyó con sus inquietudes, más que con su obra, a instaurar un clima en que las posibilidades de la poesía proliferaran sin tasa, dando lugar a que una vanguardia alerta compensara con sus experimentos o con sus estridencias, con sus técnicas o sus recetas, la templanza formal y el quietismo del otro extremo de la balanza poética de su tiempo.

En el otro extremo —un extremo colocado en el centro— oscila el platillo que sopesa el metal menos brillante, pero más puro que las "gemas" y los *jaikais* de Tablada, de las severas y límpidas meditaciones admonitorias de la poesía de González Martínez. Poeta de perfección exquisita, fue el primero en volcar el ánfora de la retórica demasiado musical y demasiado banal del modernismo para erguir en su lugar el estípite con la cabeza de Palas junto al que en la primera mitad del siglo XIX, en América, el cuervo de Poe —de gloriosa tradición en la poesía francesa y de escaso renombre en su patria—, se posaría en una noche lóbrega, el cuervo que sufre la metamorfosis poética que lo transformará, a lo largo de las peripecias de la historia de la poesía, primero en las lechuzas inmóviles de Baudelaire, luego en el cisne de Verlaine que emigra a América convertido en el símbolo del modernismo de Rubén Darío, después ya de haber sido tácitamente condenado a muerte por la misma *ars poetica* que lo había empollado: la de Verlaine. A la interrogación que el cisne proponía con la curva de su cuello González Martínez opuso la respuesta contundente del búho que puede ver en la noche, que puede penetrar, por la fuerza de la mirada —es decir de la inteligencia— los misterios nocturnos, y cuyo canto es escueto, admonitorio y preciso.

Ejerció también, paradójicamente, González Martínez, más que Tablada que había sido proclamado poeta preferido de la juventud, una influencia de capital importancia para la poesía mexicana al convertirse en el maestro de los jóvenes poetas que dieron una solución de continuidad, los del grupo de los "Contemporáneos" que tan certeramente sintetizó el nuevo estremecimiento de la poesía postsimbolista que nació bajo sus alas en el momento en que otro poeta de extraordinaria significación había sabido conjugar, en nombre de un arte de imágenes rarísimas y terminantes que ahondaban en esencias que sólo en México podían haber sido destinadas, la pulcritud verbal de González Martínez y la osadía vanguardista y experimental de Tablada.

La deuda de la poesía hacia López Velarde se dirime en la expresión de su significado. No fue López Velarde el que introdujo "lo mexicano" en el ámbito de la temática de la poesía. Flaca tarea hubiera sido ésa. Ramón López Velarde supo elevar lo que de más particular había en la vida mexicana a la universalidad de la existencia poética: supo elevar lo que de universal había en los detalles a las fulgurantes generalizaciones de que es capaz la poesía y fue el primero que supo dar la nota común a todos en el instrumento que a partir de su obra había cobrado un timbre único y distintivo sin detrimento de la dignidad que el tono poético requiere y que, casi siempre, se ve disminuido por una demasiado violenta tentativa de someterlo a las exigencias de una expresión de efectos inmediatos o de documentación folklorística. Ramón López Velarde supo elevar "lo mexicano" a la altura de la poesía sin que esta prodigiosa operación entrañara para nuestras letras el riesgo de contaminación de patriotería y de chauvinismo. Si con motivo de su cincuentenario la atención se fija con demasiada insistencia pero con poca perspicacia en *La suave patria*, poema compendioso y de circunstancia, se corre el riesgo de pasar por alto el grueso de su obra en verso y en prosa que no desdice ni de la posibilidad que Tablada practicó en términos de una vanguardia experimentalista ni de la rígida disciplina sobre las formas poéticas que la sabiduría del Hombre del Búho ejerció sobre el canto.

Año de examen de conciencia de los poetas mexicanos que habrán de volver la vista hacia el trecho recorrido desde hace cien o cincuenta años, en el de 1971, ni la lección de Tablada —sus invenciones cobran más vida ahora— ni el ejemplo de González Martínez ni la síntesis de López Velarde han sido olvidados. La huella de estos poetas de ayer es bien visible en la poesía que hacen —valga la redundancia— los de hoy.

MUERTE SIN FIN

No punto final, sino punto y coma, en el gran proceso que describe *Muerte sin fin,* poema nacido en el centro de un gran silencio. La muerte de Gorostiza no disminuye ni precisa el sentido de su poema; más bien, pone en evidencia su verosimilitud y su posibilidad por encima de esas transformaciones a las que la materia de la que nace está sujeta. Tardó treinta y cuatro años en cerrarse el ciclo de silencio que ciñe a la isla prodigiosa del poema. Se cumple al cabo la primera etapa de las transformaciones del significado de un poema que la muerte de quien lo creó fija para que tome vida propia y se desarrolle por sí mismo.

Gorostiza fue el gran poeta de la muerte mexicana, figura que es expresión de un sentimiento que han de pasar todavía muchos años para que sea esclarecido, o, hablando en términos personales, quizás muy pocos.

Descripción de un proceso esencial del espíritu, *Muerte sin fin* es la primera gran manifestación universal de la poesía mexicana de nuestro tiempo y nótese que la llamo grande porque antes que ella hubo intentos que no obtuvieron nunca la resonancia filosófica que emana del poema de Gorostiza, poema en el que por primera vez todavía hoy, después de treinta y cuatro años de haber sido creado, en el tiempo mexicano que corre, podemos escuchar, desdibujado y patético, el timbre de nuestra condición real en el mundo, pues no es la menor de las virtudes de ese poema la de ser tal vez el primero, desde *Primero sueño,* en el que un poeta de nuestra tierra se enfrenta al hecho tan poco particularizado, a pesar de lo que digan, de la Muerte como posibilidad y como tema de la poesía.

El movimiento propio del poema nos indica su dirección y mirando la fija estrella polar a la que creemos que se dirige, es posible concebir todas las imágenes que animan o que concebimos como capaces de dar un contenido a su desarrollo interior propio.

Se concibe así, ante este poema, un movimiento general; un flujo que todo lo abarca, que todo lo lleva a un origen ineluctable, que dirige todas las cosas al punto en que nacen para morir nuevamente. Se concibe un espacio, un tiempo en los que la descripción de ese proceso toma forma como dentro de una matriz que lo acoge incandescente y amorosamente lo fragua. Es posible, también, concebir al poema como la figura de una circunvalación en torno al eje inmutable del ser: la línea recta por la que los extremos de la vida y de la muerte forman parte de un mismo sistema. Y se puede, asimismo, concebir una construcción; pormenorizada, metódica, acuciosa en torno al significado del ser, como expresión unívoca de los poderes interrogativos filosóficos de Occidente en confrontación a los más contundentes del Oriente que se preguntan por qué ser y no no-ser; se forma, de acuerdo a las leyes lentísimas que rigen el crecimiento de las estalactitas o los corales, el proyecto de una construcción que trata de sí misma; se formula, en fin, una conjetura acerca de la muerte; el poeta intenta fundar una concepción del dejar de ser que, si no lo explica, arroja una luz especial que lo ilumina y lo ilustra de tal manera que, aunque no podamos entenderlo, podamos percibirlo como un movimiento perpetuo del alma. Pero la poesía exige. El conocimiento de las leyes de acuerdo a las cuales el poema crece puede ser el tema mismo del poema, la materia que lo conforma como concreción de una tentativa de conocimiento, sin que el conocimiento mismo tenga que ser la materia de la que está hecho el poema. Cuántos críticos no habrán soñado en conocer esa ciencia inaccesible por naturaleza propia que es la que podría llamarse Ciencia del Sistema Dinámico del Poema. Cuántos poetas no se habrán extraviado para encontrar el último principio que rige la formación del poema, habiendo descuidado en ello su tarea más imperativa: la de hacerlo. La tarea de hacer el poema inteligible es o posterior o irrelevante. Atañe a la crítica cuya posteridad o irrelevancia es, desgraciadamente, inevitable. Solamente no sujeto a ninguna crítica o posibilidad de juicio puede el poema ser concebido y quien pretenda hacer una poema con vistas a la crítica posible que de él se pudiese formular está condenado al fracaso; a un fracaso que quizás es necesario al cumplimiento de ciertas disciplinas poéticas. Nunca he dudado de que el poema de Gorostiza sea el resultado de una de esas disciplinas. Él mismo me dijo que *Muerte sin fin* era una construcción. Luego me explicó por qué. Una idea muy sencilla, pero que, por ahora, no viene al caso. Entre otras cosas, porque sería contradictorio discutirla después de haber negado su posibilidad, la posibilidad de hacerlo racionalmente para llegar a formular un juicio; posibilidad que está siempre más allá del más acá eterno del poema. Pero la simple formulación de esa posibilidad revela la existencia de un método. Método —he aquí una palabra que como la de "intelectual" para el corresponsal del señor Teste, resulta demasiado estrecha para sortear la curva de las ideas que esa sola palabra invoca: ¡Método!—, he aquí el punto más allá del cual volver sobre nuestros pasos críticos sería absolutamente imposible, pues qué desbarrancada podría concebirse más aparatosa que la que supusiera, como condición indispensable de la interpretación del poema, una interpretación, casi necesariamente, falsa de éste.

Pero la virtud principal de la crítica es la de osar adentrarse en la *selva selvaggia* de la poesía tratando de conformar todo lo que es producto de la magia —método de los más rigurosos— o del raciocinio, a una figura general del espíritu por la que la poesía se convierte en una construcción simbólica. El sentimiento de la aventura forma parte de sus premisas, pues, ¿quién se atrevería a formular un juicio general acerca de algo cuya esencia es la de permanecer desconocido? Se puede "aventurar" una hipótesis acerca de su significado o acerca de su naturaleza, pero no se puede decir qué es y se la conoce más por su movimiento que por la substancia de que está hecha.

La visión que tenemos del movimiento mediante la que esa substancia se manifiesta en el poema está condicionada por el significado que hayamos atribuido de antemano al signo que el poema nos ha propuesto. Tal es, en mi opinión, el caso ejemplar del *Canto a un dios mineral* de Jorge Cuesta, cuya forma solamente nos es conocida, pero cuyo significado permanece oculto en el último fondo inaccesible del poema. No podemos más que *atribuirle* un significado a ese movimiento visible. Una prueba de ello es la diversidad de significantes que obtiene el poema de los diversos significados que le atribuimos, sin que la estructura real que lo sustenta, su forma aprehensible, cambie.

II

Un poema como *Muerte sin fin* no se puede comentar; presentarlo equivale a crear un equívoco en la esperanza de los que no lo conocen y a una necedad en el recuerdo de quienes ya lo han leído o escuchado alguna vez. Proponer algún significado para el poema sería tanto como proponer un atajo hacia su centro: un centro poético prácticamente inaccesible a las operaciones de la inteligencia, por así decirlo. Perdería mucho la verdadera condición del poema si pudiera ser reducido a una escueta fórmula inteligible.

He pensado en los orígenes de la poesía. Están vagamente

ilustrados en el mito de Orfeo. El temple de la lira se obtiene en el infierno y en la muerte. Ese tono obtenido sirve para que el canto se cante a sí mismo, para que su signo y su significado sean una misma cosa. En la medida en que en *Muerte sin fin* esta conjunción de identidades de los términos se realiza, su explicación es imposible o sólo es posible la de aquellas partes en las que la identidad de signo y significado *no* se realiza. Supongo que me ha hecho pensar en esta condición particular del poema de cantar su propia gesta, esa descomposición orgánica del lenguaje que es fácil apreciar en gran número de poemas que parafrasean o perifrasean la leyenda de Orfeo, la incepción de nuevos lenguajes poéticos más rigurosos tal vez que los de la lógica.

He pensado también en el grupo de poetas "Contemporáneos" cuya asociación coincidió con el momento en que tenía lugar el debate acerca de la poesía pura y en el que la enseñanza de Mallarmé ya había producido frutos. Las analogías que se suscitan en el contexto histórico del nacimiento de este grupo son algunas veces curiosas: los grandes silencios de unos, la prolijidad febril de otros, su incongruencia estética en algunos aspectos, su comunismo verbal (la expresión textual "rencor sañudo" en Cuesta también, la imagen de la muerte–niño/niña en otros) por el que se ha querido encontrar un designio irónico y a veces hasta caricaturesco hacia algunos poetas en un fragmento de *Muerte sin fin* en el que la sucesión de las imágenes parece describir algunas "poéticas" o parodiar unos estilos, versos como: "...el frondoso discurso de ancha copa" y el verso sobre los "epítetos esdrújulos", harían pensar en ello, pero lo juzgo imposible en virtud de que un signo tan portentoso difícilmente puede tener un significado tan banal. Pero lo juzgo, también, sintomático de los peligros en los que se puede caer al perseguir tan denodadamente el significado de un poema. Esta discrepancia que sería posible encontrar fácilmente entre cualquier significante dado y cualquier significado atribuido a cualquier poema me ha hecho repasar algunas de las opiniones que acerca de esta cuestión se han formulado y algunos de los significados que se han atribuido a *Muerte sin fin*.

Veamos la discrepancia simplemente numérica que expresan dos opiniones muy autorizadas (en aras de la brevedad cito, naturalmente, fuera de contexto o re–cito): según Octavio Paz —citado de su *Comentario a Muerte sin fin*, por Jaime Labastida en *El amor, el sueño y la muerte en la poesía mexicana*— *Muerte sin fin* tal vez tiene "múltiples y, acaso, infinitos significados" y agrega Labastida: "...como sugiere Paz que todo gran poema tiene". Por su parte, el autor de *El amor, el sueño y la muerte* considera que *Muerte sin fin* es un poema unívoco pero cuyo significado comprende la alternancia de dos principios que componen su dialéctica; es decir que ese significado es único, pero cambiante en sí mismo. "En el poema está formulada una profunda angustia metafísica —dice Labastida—. Racionalmente, no hay esperanza. El movimiento es mecánico, circular, estéril, repetitivo: anti-hegeliano, en cierta manera, pues el proceso real de *negación de la negación* es, en rigor, *irreversible* y no vuelve al punto de partida." En el poema de Gorostiza en cambio, "todo el proceso es un retorno circular... El transcurrir, el paso continuo de la vida a la muerte y viceversa es la construcción". La discrepancia cuantitativa entre estos dos significados me hace pensar en esos desarrollos que en el campo de la geometría se hicieron a partir del postulado V de Euclides y que dieron lugar a las geometrías no-euclidianas que a la vez que se refutan entre sí, refutan, también, el postulado V de Euclides, aunque permiten formular todo un sistema de postulados congruentes entre ellos.

En el orden de la temporalidad verbal dentro de la que el poema se inscribe como una figura dentro de un círculo, la asignación de un significado absoluto es también muy problemática. En su presentación al disco que contiene la lectura de *Muerte sin fin* hecha por Gorostiza, Alí Chumacero invoca dos nociones muy interesantes que servirían para definir la significación del poema en el contexto de la condición humana: Sabiduría y fracaso —fracaso de la sabiduría ante el embate o el avance irresistible de la muerte; como si el poema fuera expresión de esa impotencia de las palabras humanas ante la avalancha continua del morir que las subyuga y les hace perder su sentido permanente. Tal vez esta disposición del poeta que con la palabra se enfrenta a la muerte y fracasa no es sino una imagen general del hombre en su impotencia por hacer retroceder el curso del morir mediante las palabras de su sabiduría, pero el carácter eminentemente pretérito que anima la idea de fracaso —una palabra que expresa siempre lo que ya aconteció, desdice del carácter infinito, siempre presente, del morir ahora y del estar muriendo en vida que el poema parece describir y transmitir. Tiempo y muerte son para Alí Chuma-

114

cero la identidad que se realiza en la figura del poema y el hombre el receptor de las consecuencias de esa identidad.

Pero es justamente por la virtud que tienen de ser significantes que cada una de estas interpretaciones de *Muerte sin fin* se vuelven parciales. Cada una de ellas parece invalidar a las demás en la medida en que sustituyen una medida de absoluto por otra en el caso de los infinitos significados de Octavio Paz y en el caso del significado único de Jaime Labastida: en la medida en la que erigen la vida humana en la fuerza medular del poema como en la interpretación de Alí Chumacero y en la medida en que todas parecen excluir al poema mismo para situar en su lugar una cosa a la que tal vez ese significado no corresponde plenamente.

Como en el caso del postulado de las paralelas de Euclides, se precisa un postulado que abarque todas las contradicciones y en función del cual fuera posible demostrar que todas las proposiciones acerca de este problema o de este poema son factibles, sin que en el proceso de la demostración el poema pierda su vigencia o su integridad de cosa puramente intelectual.

El múltiple significado que Octavio Paz le atribuye no puede dar lugar, en el orden crítico, sino a esas exégesis exhaustivas, hechas "verso por verso" como la que tenemos del Profesor Rubín. La descomposición del poema en sus partes sustanciales es un análisis que en la disgregación de los términos del poema no pueden producir sino una múltiple e infinita confusión. Sacar conclusiones coherentes de esa masa dispersa de materiales poéticos es prácticamente imposible, tan imposible como el sacar conclusiones de esa *reductio* a los

115

polos dialécticos en torno a los que, según Labastida, gira la dinámica o la dialéctica del significado unívoco, pero dialéctico del poema.

¿Por qué después de más de treinta años de haber sido publicado tras de un silencio poético de su autor que duró desde 1925, año en que publicó *Canciones para cantar en las barcas* hasta 1939 en que publicó *Muerte sin fin*, este poema con sus estrofas integrativas de gran extensión, con sus ritmos pletóricos, perfectamente amoldados al espíritu de nuestra lengua común, con sus imágenes adecuadas al espacio de nuestra imaginación, ágiles y perfectas, amargas y cristalinas, persiste con tanta insistencia en la memoria que guardamos de la historia de nuestra poesía?

Tengo también, una opinión —en el sentido parmenídeo del término— que proponer acerca del significado de *Muerte sin fin;* pero no sin antes invocar, aunque sea esquemáticamente, los grandes lineamientos de una cierta rama —cuando menos, si no raíz— de la poesía llamada moderna. La poesía es la primera formulación de la Idea, es decir de "lo otro" que no es el "hecho real", la contraparte —por así decirlo— de lo que pasa en la realidad y de lo que es aprehensible a nuestro ser mecánico, dotado de sentidos que dan testimonio de la existencia de una realidad exterior a nuestro cuerpo: teatro en el que constantemente se está desarrollando el drama de nuestra muerte. En esa medida creo que *Muerte sin fin* es casi siempre mucho más de lo que se pudiera pensar que es, si bien su condición en el orden de la clasificación filológica puede reducirse a la de "poema filosófico", pero esa definición tan sumaria excluye de sí misma un hecho que no puede reducirse de ninguna manera: el de la poesía. Al margen de ese portento y tomando en cuenta la naturaleza real de la poesía, concibo un significado para *Muerte sin fin* en el que se concilian todas las interpretaciones de quienes han hecho su crítica.

Quiero proponer una interpretación sintética acerca del significado de *Muerte sin fin,* pero con fundamento en un hecho importante en la historia de la poesía moderna. En 1926 se suscitó en el seno de la Academia Francesa una polémica que trascendería con mucho las márgenes del Sena en el Quai Richelieu: El abate Bremond, comentando la poesía de Valéry, propuso una idea singular a las doctas congregaciones: la de que la poesía podía transmitirse independientemente de que pudiera ser entendida o no; la de que el entendimiento —en sentido lógico— no era una facultad necesaria a la apreciación de la poesía y la de que esa poesía que escapaba a su comprensión inteligente era la poesía en su más alta pureza.

Valéry, por su parte, sostenía que en lo que se refería a su propia poesía y a toda aquella que emanaba del foco de Mallarmé ésta no era pura desde el punto de vista del apreciador que no podía entenderla y que sin embargo entraba en contacto con su esencia por la simple contemplación, sino que siendo una poesía que excluía el término de lector de su mecanismo de creación era en sí misma un concentrado verbal, verbalmente puro, incontaminado de cualquier posibilidad de ser reducido subjetivamente por el lector al orden de cualquier significación. Ese fue el nacimiento de la noción de poesía pura: poesía incontaminada de significado lógico.

Yo creo que la *Muerte sin fin* de Gorostiza es un poema que se adscribe a esa categoría. Yo creo que *Muerte sin fin* es un poema sin significado en la medida en que la teoría de la "poesía pura" que nació con Mallarmé presuponía una forma, la más alta de su género, en la que la diferencia entre signo y significado, entre forma y fondo, entre expresión y creación, se ve aniquilada. Propongo, pues, considerar este poema como un poema sin significado, o como un poema en el que signo y significado son la misma cosa. ¿Cómo sería posible comprenderlo (no entenderlo), o contemplarlo, si en él no atribuyéramos a la palabra el máximo valor que atribuimos a la idea? ¿No es acaso el poema ese punto del espacio lingüístico en el que el signo y el significado se encuentran, se confunden y se identifican?

III

Otros antes que yo han glosado muy inteligentemente la sección de *Muerte sin fin* que abarca desde el verso: "...Porque en el lento instante del quebranto" (verso 503), en adelante y que generalmente se identifica como la parte del poema en que se describe un movimiento universal de todas las cosas hacia sus orígenes.

Descubrir críticamente ese movimiento particular no es difícil, sobre todo porque se presta fácilmente a obtener un significado por interpretación externa además de que está explícitamente enunciado en el cuerpo del poema. Si me atrevo a agregar mis propias ideas al conjunto de las que ya existen acerca de este aspecto del poema es porque creo que se enfocan en una dirección particular que ha permanecido intocada y también con una intención crítica diferente, ya que no pretendo obtener un significado particular de este poema sino tal vez un signo general contenido en él. Esta pretensión se funda en una posibilidad que nuestra poesía conoce desde hace cincuenta años cuando López Velarde le otorgó la de hablar en términos generales de nuestras cosas particulares. Pienso por ello que *Muerte sin fin* es la primera obra de nuestro ámbito que se haya valido de ella para realizar una función correlativa: la de enunciar en términos particulares nociones generales y ser uno de los grandes poemas filosóficos de nuestro tiempo y aquí. Lo llamo filosófico en la medida en que la substancia de que está hecho es de índole universal.

Esa substancia es el tiempo: substancia textual misteriosa, informe y evidente; cosa imprecisa que todo lo impregna y en la que el mismo dios está inmerso si ese tiempo es de naturaleza concebible. El desarrollo textual del poema ilustra claramente esta idea. El poema crea en el tiempo en que se inscribe como cosa que evoluciona o se manifiesta a sí misma y ese desarrollo es como un periplo por la circunferencia de un trayecto que nunca termina, siempre está empezando, siempre se está consumando y nunca cesa. Y es ese tiempo que el poema crea para su propio desarrollo el que rige toda una concepción del universo. La obsesión de la "gota categórica" de López Velarde, que se concreta como el metrónomo que rige el proceso rítmico de la creación de la imagen poética de Gorostiza tanto en un escrito en prosa notable, *Esquema para el desarrollo de un poema,* por el desarrollo de esa figura del filtro casero, el ruido de la gotera que crea la imagen de la gota, como en *Muerte sin fin,* haría pensar que el tiempo del poema es como una línea punteada de acontecimientos que se prolonga eternamente, pero, y esto es algo en lo que no se han detenido muchos: el poema termina en donde empieza, en el punto constante en que el círculo eónico se está cerrando en todo momento de su desarrollo como *analogon* del tiempo universal en el que aniquilamiento y creación son contiguos siempre. Ese punto es el instante de la ambigüedad total en que se cifra la naturaleza del mundo por el poema que la refleja y la hace visible reproduciendo en su propia forma el destino originario —valga la antítesis— de todas las cosas del mundo. Todos los haces convergen en el punto en que el contacto ideal de sus cúspides genera otros conos de tiempo equivalentes: contrapartidas mágicas: la realidad y el espejo, el mundo y el poema, la imagen y el objeto, el hecho y el simulacro. Entre cada uno de esos polos hay una zona franca de la inteligencia en que el mundo parece suspenderse y que el lenguaje sólo puede colmar con la substancia de su propia imposibilidad. "La imagen —ha dicho Maurice Blanchot— es la ausencia del objeto", pero el poema de Gorostiza es la imagen de la ausencia del ser en el momento que sigue a su disolución y que antecede a su creación, que es término al que se dirige por la muerte. Momento que es el punto "en donde nada es ni nada está.../ donde nada ni nadie está nunca muriendo..." Instante en que la potencia del mundo se concentra en el índice de dios para actualizarla. Vacío de tiempo en que el poema nace. Instante en que se generan los polos que animan la violencia de esa descarga que es el poema, cápsula estéril en que se forma la imagen que la colma y la desborda, instante de silencio en el que el poeta crea la palabra, mientras la forma "se entrega a la delicia de su muerte" y los sentidos "se acogen a sus túmidas matrices", "en la cumbre de un tiempo paralítico..."

Pero no es solamente en los últimos cantos de *Muerte sin fin* en donde la estructura particular del tiempo del poema se manifiesta espectacularmente. La circularidad de ese tiempo que fluye por la imagen no sólo subraya la condición escatológica dentro de la que el poema discurre como alegoría del fin de los tiempos, sino que además tiene una particularidad notable: la de que avanza hacia su origen, un origen que en todo tiempo está teniendo lugar. Ese curso a contracauce del río del tiempo no sólo trastrueca el orden de la causalidad y sucesión lógica haciendo que el vaso sea "una flor mineral que se abre para adentro/ hacia su propia luz,/ que se absorbe a sí mismo contemplándose" y "tuerce la órbita de su destino...", sino que además instaura la posibilidad de un futuro jubiloso porque las cosas no van a su disolución y a su aniquilamiento en vano, se dirigen al caos del no ser como medio para llegar al logos del ser, van hacia su principio y en el último verso del Canto XVIII las nuevas criaturas prorrumpen en el grito jubiloso que celebra la creación. En el último canto, después del *Aleluya,* se escucha ya el compás del ditirambo que marca las evoluciones de la danza de las cria-

121

turas, la primera manifestación del ritmo, del tiempo que se cumple en la danza circular de la vida en la que es fuerza que los bailarines traspongan el umbral de la muerte para que la danza prosiga. Todo poema refleja el drama del descenso a los infiernos de la nada, viaje a la muerte en el que se cifra no solamente el significado del poema que puede ser único, múltiple, o no ser, sino el movimiento por el que se cumple la poesía.

Si el destino del mundo es el de morir para renacer dentro de un tiempo que corre regresivamente ¿cuál es el destino del poema que refleja el correr de ese tiempo...?

El poema se realiza inscrito dentro de un tiempo que le asigna un destino y que en el orden de los significados puede ser el destino de no ser él mismo sólo significante, sino significado. Si en el incendio de la idea, en el agotamiento y muerte del lenguaje y de las cosas que el lenguaje designa, el poeta ha querido darnos una alegoría o una figura compuesta de imágenes que aluden o ilustran la caducidad y la falacia del testimonio sensorial ante la tachadura de la muerte, no ha querido menos decirnos que de esa muerte nace la poesía por virtud que esa muerte tiene de ser el término de un viaje que siempre se vuelve a emprender. "Muerte sin fin de una obstinada muerte...", tarea por la que el poema se construye y por la que el poeta realiza el viaje, periplo vertical descendente, que realizaron antes otros poetas: unos para templar la lira, como Orfeo; otros para obtener un conocimiento del principio que rige el movimiento del sol y todas las demás estrellas, como Dante.

La inteligencia no juega un papel menor en esta operación. La inteligencia es posiblemente la línea que une los puntos que en número infinito forman los eslabones de esa cadena temporal de instantes de consumación o de incepción que cincha la redondez de toda obra y crea en torno de ella ese ámbito de silencio absoluto que la palabra requiere para nacer. En el fondo remotísimo de sí mismo en que el poema se da un origen mágico, el cauce por el que el poeta vierte las aguas de ese manantial de palabras sigue un curso que termina con su muerte en el punto en que nace. Su proferimiento es el tiempo de la palabra y el silencio su principio de conservación. Es preciso que la palabra muera de silencio para que nazca como ritmo, como forma, como canto.

Octavio Paz ha dicho que Heráclito y Parménides son las divinidades filosóficas que presiden sobre el universo del poema. Al río fluyente del efesino y al mundo inmóvil del eleata me permito agregar la figura que rige la forma que tiene la estructura temporal en el poema de Gorostiza: la de la flecha de Zenón, signo de esa apocatástasis que en todos los momentos de su desarrollo hace patente su origen y su fin que son la misma cosa y los dos polos de silencio entre los que estalla la chispa del poema.

EL *I CHING*

El *I Ching* o *Libro de las mutaciones* es el único de los cinco grandes libros canónicos de China que sobrevivió a la quema decretada por el tirano Ch'in Shih Huang Ti en el año 213 antes de Cristo. Las vicisitudes de su composición y de su historia bibliográfica imprecisan los orígenes absolutos del libro porque denotan orígenes o paternidades diferentes de cada una de las partes que lo componen y existen escuelas antagónicas de interpretación que le asignan diferentes fechas de nacimiento o que atribuyen su creación a héroes protohistóricos. La tradición, eminentemente sincrética en China, cita generalmente a cuatro personajes como los autores del *I Ching*: Fu Hsi, personaje legendario amante de la caza y de la pesca, inventor de la cocina y de los signos lineales que componen los hexagramas; el rey Wen, su hijo el Duque de Chou y Kung Fu Tze (Confucio) que lo conoció, estudió asiduamente y comentó durante los últimos años de su vida. La condición diversa de estos autores ha multiplicado el aparato filológico en torno a la cuestión. Un dato más concreto es el hecho de que el rey Wen es el fundador de la dinastía Chou que gobernó entre 1150 y 249 antes de Cristo, aunque se conocen diversos libros de hexagramas que datan de la dinastía Shang (1766–1150 a.C.) y de la dinastía Hsia (2205–1766 a.C.) y que Confucio murió en 479 antes de Cristo. Puede decirse, por lo tanto, que el periodo de conformación hasta su organización canónica final abarca un lapso aproximado de 1 700 años anteriores a la erección del Partenón y al nacimiento de Platón y más si, como afirman algunos, también los discípulos de Confucio intervinieron, después de la muerte de éste, en la elaboración de los comentarios a las líneas individuales según su colocación en el hexagrama.

El largo periodo durante el cual tuvo lugar su confección permite suponer fácilmente, y sobre todo en virtud de su supervivencia en la forma original posterior a 213 antes de Cristo, que el *I Ching* es el texto que más ha influido en la historia espiritual de China durante los últimos tres mil años. Las dos grandes ramas de la filosofía china, el confucianismo y el taoismo, tienen sus raíces en la sabiduría de los hexagramas, y el propio Wilhelm afirma que "...casi todo lo más grande y más significativo en tres mil años de historia cultural de China tomó su inspiración de este libro o ejerció su influencia en la interpretación de su texto".

Las manipulaciones de las que el *I Ching* ha sido objeto durante este amplio periodo le han conferido un carácter doble. Los filósofos y escribanos han encontrado en él la *summa* de algunos conocimientos particularmente vinculados a lo que pudiera constituir una vasta descripción del espíritu de la cultura china, una cultura esencialmente técnica; han discernido en los diversos sistemas que los hexagramas conforman una teoría del número directamente derivada de la observación aguda de los ritmos naturales, no ajena, ciertamente, ni ausente de la teoría pitagórica de la armonía y que ha servido para interpretar hasta sus últimas consecuencias, o para fundamentarla, una idea particular que sin duda está en la base del pensamiento chino. Esta idea es la de la dialéctica del *yin* y del *yang*.

Es justamente en función de esta idea que la sabiduría contenida en el *Libro de las mutaciones* entronca, de una manera muy precisa, iluminándolo, con el concepto del *tai chi*, fórmula representacional de la dialéctica de la luz y la sombra.

Es preciso que aquí nos detengamos brevemente a hacer algunas consideraciones acerca del carácter particular que el término "dialéctica" tiene en el contexto del pensamiento chino. Para los pensadores chinos la dialéctica no expresa un procedimiento que sirve para obtener una mayor aproximación a la verdad mediante la confrontación de dos términos antagónicos. Para el pensamiento chino la dialéctica es la manifestación de un mundo hecho no de opuestos sólo violentamente reconciliables, sino de elementos que en todo momento dan cuenta de una conjunción de correlativos, y si para Occidente el mundo está constituido por una posibilidad de identidad que expresa una relación lógicamente definible, para la filosofía china el mundo está constituido por un número infinito de correlaciones cambiantes que sólo pueden expresarlo en un instante dado.

El emblema esencial, llamado *Tai chi tu* o "El Supremo Último", expresa más claramente que las palabras la verdadera naturaleza de esta dialéctica particular:

Están allí contenidos los dos principios: el *yin* y el *yang*, lo luminoso y lo sombrío; expresada su correlación mediante un armonioso juego de curvas congruentes, dinámicas, que forman y desforman, de una manera evidentemente musical, una concatenación rítmica de números que expresan un juego de proporciones en las que los números propios que se originan en los procedimientos oraculares se manifiestan muy claramente y constituye, sin lugar a ninguna duda, un indicio capital para investigar las aproximaciones de la matemática china a la determinación del valor numérico de la proporción que rige entre la circunferencia y el diámetro del círculo, que es irracional.

La diferencia entre los elementos está compensada por la partícula de su complementario inscrita en cada uno de los elementos.

El diagrama llamado de la ley *Ho t'u*, que data de la tradición Sung, ilustra la aplicación del principio del *yin* y *yang* a la interpretación del mundo "natural".

Este diagrama, de una manera muy explícita, configura el

mundo de acuerdo con los principios correlativos que se sintetizan para dar por resultado el ser del mundo o El Supremo Último.

La primera expresión de síntesis o de reunión de elementos correlativos que de una manera absolutamente concreta se manifiesta en la cultura china, es la representación de los elementos correlativos mediante las líneas quebradas o continuas que, en sus orígenes, conformaban la primera afirmación de principios de esta cosmogonía o de esta mántica; el elemento A representado por una u otra línea y lo mismo para el elemento correlativo B.

Es preciso, sin embargo, insistir en el hecho de que hay que tener en cuenta que a esta concepción dual de la línea antecede otra que por su sola naturaleza presupone su dualidad como potencia: la línea en sí, que determina absolutamente todos los correlativos que componen el mundo: el arriba y el abajo, el izquierda y el derecha, el finito y el infinito, el uno y todos los números, etcétera, y que dentro de esta concepción particular los elementos que constituyen la síntesis no tienen el carácter de afirmación o de negación que tradicionalmente se atribuiría a los elementos en Occidente, sino que, por el contrario, constituyen una conjunción determinativa del mundo; es decir, que de la conjunción de dos elementos se obtiene una representación afirmativa, siempre; es decir: una proposición de sentido ontológico, en el que puede afirmarse que la tradición particular del *I Ching* se vierte hacia el curso principal de la historia del pensamiento chino en sentido técnico.

Para el espíritu chino el mundo es síntesis; para Occidente el mundo es resultado de análisis. Si fuera preciso ilustrar esta aseveración con un ejemplo que sirviera para poner de manifiesto las cualidades distintas que intervienen en la formulación del juicio, nada sería más ilustrativo que el análisis de la *Weltanschauung* que deriva del *Libro de las mutaciones* a la luz de las ideas de Kant. Los juicios, según la tabla de Kant, proponen una red de relaciones determinativas, cada una de las cuales inerva un aspecto específico de la naturaleza real; es esta red de relaciones determinativas la que permite a los occidentales prever y dominar la naturaleza contingente, cuyo curso resulta incomprensible para los pensadores chinos. Pero esta red de relaciones determinantes deja escapar ineluctablemente todo aquello que hay de vivo y de complejo en la naturaleza entera de la que la humanidad misma forma parte. En primer lugar, la naturaleza en su indivisibilidad espacial no presenta ninguna frontera definida entre el todo y la parte, lo uno y lo múltiple; rechaza, por lo tanto, toda distinción obtenida de la confrontación de un juicio universal y un juicio particular. En segundo lugar, la naturaleza en su indivisibilidad temporal constituye un fluir perpetuo entre un sí y un no provisorios; ello excluye, por lo tanto, toda oposición categórica entre el juicio afirmativo y el juicio negativo. En tercer lugar, la naturaleza, en sus modificaciones interiores, se presenta como un flujo y reflujo confuso y continuo del que nadie puede distinguir el estado anterior o el estado ulterior. Ese flujo no comporta ninguna serie de estados que se siguen los unos a los otros. De ahí la ausencia o imposibilidad de un juicio categórico que tuviese por fin reunir o inscribir numerosos estados cambiantes en un solo estado permanente. En último lugar, la naturaleza, en sus apariencias exteriores, contiene todos los fenómenos cósmicos que se interpretan espacial y temporalmente. Así, es imposible establecer una relación causal entre un fenómeno anterior y un fenómeno posterior en el seno de su complejidad espacio-temporal; de ello deriva la imposibilidad absoluta de formular un juicio hipotético que pretendiera explicar un hecho dado en función de un hecho que lo preceda. Nos resulta de eso a nosotros, inscritos en una forma de pensamiento diversa, incomprensible o paradójica esa *otra* forma en la que se expresa la idea china del mundo.

No es difícil encontrar tanto en la filosofía técnica china, como en la literatura, ejemplos que ilustran esta concepción del mundo de una manera completamente literal. Bástenos recordar la curiosa paradoja ontológica formulada por Chuang Tzu a propósito de los sueños y las numerosas aporías de Huei Che a propósito de la extensión, el espacio, el tiempo y las cualidades opuestas.

Será preciso, por lo tanto, tener *in mente,* siempre que tengamos que conformar nuestras propias opiniones a la visión del mundo que en las páginas del *I Ching* está contenida, que "...el juicio paradójico en la China antigua tiene por fin restaurar la naturaleza en su totalidad indivisa; naturaleza que ha sido fragmentada por la inteligencia práctica de todo hombre empírico".[1]

Hago énfasis en este aspecto fundamental del pensamiento

chino para desvirtuar cualquier posibilidad que en la interpretación de las sentencias del *I Ching* pudiera inclinar a considerarlas como categóricas en el sentido de su significación como elementos antagónicos. Es preciso tener en cuenta que no se trata de elementos antitéticos, sino nada más de la síntesis de dos elementos. Dicho así, creo que será más fácil penetrar un libro cuya naturaleza estaría condicionada en todo momento por lo que en Occidente da en llamarse paradoja o ambigüedad.

El contenido de este libro está inscrito a su vez en una concepción del mundo más amplia, cuya condición esencial es su imprecisión en tanto que término de una proposición antitética. Las "situaciones" son situaciones que expresan la naturaleza de un instante dentro de un amplísimo fluir. Y más aún que situaciones, la configuración de los hexagramas expresa, como su nombre claramente lo dice, la naturaleza de la mutación o de un cambio.

No obstante la absoluta univocidad de sus proferimientos, que resultaría de una interpretación a la luz del pensamiento chino, es necesario subrayar el hecho —enunciado al principio— de que se trata de un libro doble. La exégesis del *I Ching* se divide en dos grandes tradiciones interpretativas. Quieren aquellos que estudian la historia de la cultura en China considerarlo como un libro de sabiduría; quienes estudian la historia de las tradiciones en China, como un libro de oráculos. Esa diferencia no modifica su sustancia. Con cualquiera de esas formas la validez de su contenido está avalada por una tradición inmemorial que las abarca a ambas y que se sustenta, por lo demás, en configuraciones que en el orden de una clasificación lingüística son representaciones de universales. Basta para comprobar esto echar una ojeada a la historia de la evolución de la escritura china para hallar en sus orígenes la presencia de un principio organizador de *líneas*.

Otra posibilidad interpretativa consistiría en emprender el estudio del *I Ching* partiendo de que se trata de una *sintaxis;* es decir, de un instrumento de co-ordinación, de un habla. La sustancia de la que está constituida este habla es eminentemente escritural; a ello se debe el hecho, por demás significativo, de que sea justamente la naturaleza común de las dos grandes escuelas o formas interpretativas a que ha dado lugar el *I Ching*, que lo consideren como un instrumento de conocimiento (en el caso de los filósofos, para quienes es un libro de sabiduría) o como una manifestación escritural acerca de la naturaleza reservada del mundo; hay que tener en cuenta, como un dato que en el orden de la realidad sustentaría la posibilidad enunciada, el de que es un orden sintáctico, por la naturaleza misma de la lengua china, el que subyace al pensamiento chino, como en el caso de Occidente son las estructuras llamadas "lógicas" —que casi siempre tienen un carácter analítico— las que subyacen a las formas de pensamiento de las que se sirve el occidental para formular juicios.

La posibilidad de conocer la ciencia de los hexagramas tal vez nos capacite para comprender un lenguaje más vasto todavía que el de las líneas quebradas o continuas sobre las que nos afanamos tratando de discernir un esquema esencial del universo. La manipulación de estas configuraciones es, en

133

cierto modo, la manipulación de las posibilidades del mundo.

No debe extrañarnos, por lo anterior, que sean algunos sinólogos europeos, cuya probidad desde luego es incuestionable, quienes han afirmado, como Granet —a propósito del contenido relativo a la teoría de los números del *I Ching*— que "es en estos 64 símbolos gráficos donde están contenidos una sabiduría, un poder total".

NOTA

1 Liou Kia-hway, *L'Esprit Synthétique de la Chine*, PUF, París 1961.

Si nos detenemos a analizar *Ulysses* únicamente, encontraremos que su *génesis* se descompone en varias partes, ya que el libro comprende, en sí mismo, una totalidad que abarca, como es natural, diversos aspectos del espíritu humano además del aspecto estrictamente literario. *Ulysses* no es ni un *a priori* ni un *a posteriori* sobre la vida o sobre la conducta de los hombres, es el presente histórico. No es el reflejo de la luz ni el eco de la palabra; es la luz y la palabra: no es la nostalgia de un pasado lejano o inmediato, o la premonición de un futuro, es, en cierto modo, la suspensión de la conciencia sobre el mundo, la actualidad de una vivencia esquematizada por medio del lenguaje.

Sondear en la literatura para encontrar los orígenes de *Ulysses* equivale, además de conocer las causas que lo promueven, a conocer también su estructura interna, pues su estilo, su desarrollo integral, su tema, constituyen la síntesis en sentido estrictamente morfológico de la evolución del lenguaje en sí. Se trata, en otras palabras, de algo así como la ley biogenética de Haeckel respecto a la evolución de la especie humana; es decir, que la evolución de toda la especie se encuentra reproducida en el desarrollo del embrión dentro del útero. Así, en *Ulysses* toda la evolución del lenguaje, desde la onomatopeya primitiva hasta el neologismo absoluto se realiza dentro de una sola obra.

Se admite generalmente que la idea que provoca el nacimiento de lo que se ha venido a llamar el lenguaje joyceano es lo que William James llamó *stream of consciousness*, o sea la concepción de la conciencia como un devenir continuo de la percepción. Para Joyce se trataba de concretar, por medio del lenguaje, esta percepción fluida, móvil, del mundo. Cosa que en sentido estricto es casi imposible. Husserl mismo afirma que "es una característica de la conciencia en general el ser un fluir que corre según diversas dimensiones, de tal modo que no se puede hablar de una fijación conceptualmente exacta, de una concreción idéntica cualquiera y de todos los momentos que directamente la constituyen".[1]

La velocidad con que funciona la conciencia por otra parte no permite concretizarla mecánicamente. Además, y esto es más importante aún, cualquier método que permitiera captar esta vivencia subjetiva es imposible por el simple hecho de que la conciencia de una subjetividad la objetiva y por lo tanto la nulifica. Lo que de ahí surge no es ya la subjetividad en sí, sino la conciencia de una subjetividad objetivada. Se trata por lo tanto de recrear una percepción artificial, de sondear en los intersticios de la mecánica del sentir para concretarlos por medio de un lenguaje que tiende, en Joyce, cada vez más, a ser absoluto. El sujeto ideal Joyce es substituido por un esquema ideal, Leopold Bloom, que actúa y percibe el mundo y a la vez nos hace partícipes de su vida y de su mundo por medio de eso que Hegel ha llamado la *Künstlichkeit:* la esencia del arte.

Era tal vez esto lo que como antecedente directo de Joyce se propuso ambiciosamente Herman Melville con su *Moby Dick,* sólo que en la obra de Melville, el esquema al que se trataba de infundir una vida concreta por medio de la expresión literaria, era infinitamente más complejo que en Joyce. En *Ulysses* no se trata, a la larga, sino del cuerpo humano, que como dice Merleau-Ponty: "es el sujeto de la percepción".[2] Mientras que en *Moby Dick* se trata de valores abstractos, intangibles, de la complicadísima dialéctica del bien y del mal y es tal vez por esto que *Moby Dick,* en el fondo y a pesar de su explicitud algunas veces verdaderamente enervante, constituye todavía, como casi todas las obras simbolistas, una gran fórmula hermética. Cualquier versículo de la Biblia se adapta a cualquier situación humana. Lo mismo sucede con *Moby Dick* o con un tratado cualquiera de pesca de la ballena. Mientras nos sea permitido pensar que donde dice *ballena,* en realidad dice *mal,* y donde dice *arponero,* en realidad dice *bien,* cualquier libro engolfa la Creación. O no quiere decir nada. Porque todo lo que en el simbolismo es concreto, sensible, como el lenguaje mismo que lo compone, está supeditado a la rigidez inviolable de un *simbolizado* original que, además de ser abstracto, está perdido en los orígenes de un símbolo que no tiene otra pretensión que la de ser abstracto e intangible él mismo. Entre el símbolo y lo simbolizado están todos los caminos de la libertad; es por eso que la exégesis ha venido a ser una nueva forma de poesía, cuando no un capricho.

En Joyce el símbolo desaparece. Se vuelve a la descripción inmediata, física, de lo que dentro de nosotros *está siendo* el mundo, el mundo no en tanto que un complejo de categorías intangibles, sino en tanto que cúmulo de sensaciones concretas, apariencia proteica pero real. *Ulysses* trata de describir una relación perfectamente racional entre el mundo (la realidad) y quien lo percibe. Por eso se desentiende de lo abstracto, de lo intangible, de lo impreciso y va directamente hacia ese sujeto de la percepción que es el cuerpo. Por eso mismo, como dice Stuart Gilbert: "*Ulysses* no es pesimista, ni optimista, ni moral, ni inmoral... es más bien como una fórmula de Einstein o un templo griego". Una fórmula matemática porque es la reconstitución esquemática de los mecanismos de la percepción, tan minuciosamente elaborada que, además de ser una obra maestra de la literatura de todos los tiempos, posiblemente el clímax de la lengua inglesa —el punto en que el lenguaje cede totalmente a la voluntad del artista para hacerse absoluto, y se convierte en lenguaje capaz de decir y transmitir inclusive las sensaciones más terriblemente fisiológicas— es, además de todo esto, un excelente trabajo práctico de psicología, de retórica ¡e inclusive de fisiología!

Ulysses es ante todo una descripción. Éste es el sentido fundamental de la obra. La descripción del hombre en tanto que *cuerpo-sujeto-de-la-percepción*. Claro está que esto requiere de un nuevo lenguaje. Un nuevo lenguaje en el que los símbolos pierdan su categoría primaria, en que los símbolos dejen de ser los criptogramas que esconden una realidad fundamental porque el lenguaje mismo que les da vida no va más allá de su primera fase, aquella que establece el paralelismo primario entre lo significante y lo significado. La descripción no es, después de todo, sino esa confrontación paralela entre la realidad y el lenguaje. Trata de unificar la existencia del mundo con el sentido de las palabras y cuando éstas son insuficientes al artista (para quien, por lo demás, las palabras casi siempre resultan insuficientes) se ve obligado a recurrir a los gérmenes de un lenguaje en evolución o al cadáver de las palabras, recorre por lo tanto el camino que va desde los orígenes del lenguaje hasta su formación reciente. Todo esto en función de lo que le es dado comprender del mundo. A Proust ese mundo se le presenta como una sensación ya vivida, el cadáver de una sensación que como Lázaro se incorpora, una nostalgia tan potente de vivencias, de contactos con la realidad que por esa misma fuerza se convierte no en una experiencia, sino en una *reexperiencia*. El bizcocho de la abuela o los "ruidos orgánicos" de los muebles no son ni bizcocho ni ruido, son el recuerdo de un bizcocho o de un ruido en mitad de la noche. Es el recuerdo de una experiencia, de una percepción. En Joyce no hay recuerdos, hay sólo la experiencia actual de la vida, el recuerdo mismo es una vivencia actual, un acontecimiento que se desarrolla en ese eterno presente que es la vida. Por eso, el organismo viviente del que surge *Ulysses* es dinámico. Su esencia misma es esa dinamicidad de la percepción de que habla Husserl.

La esencia de *Ulysses* no reside en la forma misma con que a nosotros nos es dado comprender la novela a la primera hojeada. Si se busca bien en los intersticios de esa forma aparentemente compleja se llega forzosamente, por lo que a la historia de las formas literarias respecta, a *Moby Dick* y a todas las investigaciones literarias que esta obra comporta en su estructura. Sin embargo no se trata aquí de un realismo simbólico, es decir de un realismo que propone símbolos constituidos por objetos de la realidad (ballena, arponero, etcétera), símbolos que fundamentalmente nunca traspasan los límites entre la novela y la poesía. *Moby Dick* es la transcripción *real* de la realidad al plano de la literatura por medio de la *realidad–apta-de-ser-transformada-en-símbolo*. *Ulysses* por el contrario, independientemente de su carácter simbólico (carácter que, por lo demás, está, como en todas las cosas del universo, más allá de su forma), no es sino una recreación, una reconstrucción detalladísima de la vida; pero no de la vida con el sentido trascendental que le dan la mayor parte de los pensadores. La vida no es en *Ulysses* ese campo de batalla entre el bien y el mal que es en Dostoyevski, sino esa vida que sólo es continente de funciones fisiológicas y que se desarrolla dentro de los límites del cuerpo y de la percepción. Todo esto no sería mayormente interesante si no fuera porque esa recreación de la vida comporta una estrechísima relación con la forma literaria con que está concretada y con los mecanismos de la percepción, a tal grado que, aunque aventuradamente, se podría llegar a afirmar que la validez de la forma literaria empleada por Joyce puede ser demostrada por la psicología experimental.

Si nos apartamos momentáneamente del tema de este trabajo, nos damos cuenta de que esta forma literaria plantea un problema por demás interesante dentro de la estética contemporánea y que ciertamente vale la pena apuntar aunque sea a grandes rasgos. ¿Qué tipo de mecanismo perceptivo propone la *forma Ulysses*? Desde luego partiendo de los postulados que sustentan el *stream of consciousness* se puede decir sin duda que plantea una percepción dinámica del mundo del tipo de la descrita por Husserl en el fragmento arriba citado de donde, en términos de crítica literaria, se suscitan las siguientes preguntas: ¿*quién* percibe en *Ulysses, qué* es lo percibido? O generalizando: ¿qué es lo percibido? ¿la sensación de la *realidad en sí*? ¿*la sensación en sí* de la realidad o el grafismo simbólico de la *realidad en sí* que por el hecho de ser percibido se convierte en *sensación*?

Estas preguntas, posiblemente, pueden ser contestadas reduciendo la obra de arte en general a un mecanismo orgánico que relaciona *estáticamente* el objeto y el sujeto estético. Es decir: que la estética se plantea la cuestión de la percepción con el mismo criterio con que ha sido formulada la aporía de Aquiles y la tortuga, o sea, concibiendo el *devenir del mundo* como concepto ajeno al *devenir de la conciencia,* dotando para el caso a la *conciencia de tiempo* con la capacidad arbitraria de suspender la continuidad y la relación general de simultaneidad entre los varios sujetos del devenir o entre los varios objetos de la percepción.

La sencillez de la trama de *Ulysses* es sorprendente. *Ulysses* es la crónica de un sólo día: el 16 de junio de 1904 en la ciudad de Dublín. Se trata de un día sin ninguna importancia y los dublineses que figuran en esta crónica están exentos de todo logro o desastre notorio. En la mañana un ciudadano es inhumado, un poco antes de media noche empieza a llover y luego nace un niño. En los intervalos los dublineses beben Guiness Stout y discuten sobre la política irlandesa y sobre el premio de Ascot que tiene lugar ese mismo día. A las cuatro de la tarde es consumado un acto de adulterio en la casa de Leopold Bloom, agente publicitario, personaje central de la obra. La estructura total está concebida, como casi todas las narraciones épicas, en forma de episodios consecutivos. La primera parte consta de tres episodios que sirven, en cierto modo, de *trait d'union* entre el *Retrato del artista adolescente* y *Ulysses* ya que en ellos figura predominantemente Stephen Dedalus, personaje central del *Retrato* y son la crónica detallada de sus actividades desde las ocho de la mañana hasta el mediodía. El resto del libro está dedicado a Leopold Bloom, al análisis de sus actividades y de sus pensamientos desde que despierta de su casa aproximadamente a las ocho de la mañana hasta que regresa a altas horas de la noche en compañía de Stephen, con quien se ha encontrado en un prostíbulo. El libro termina con el gran "monólogo interior" de Mrs. Bloom que recuerda su juventud y su primer amor antes de casarse con Leopold. Esto es esencialmente la trama de *Ulysses,* la estructura esquelética exterior en que se sustenta y que sustenta a su vez, el lenguaje.

Aparte del acontecer puramente físico, real de *Ulysses,* hay en él una estructura interna, orgánica, casi fisiológica que crea estas correspondencias que es interesante apuntar. El título de la novela es ya un indicio seguro. Leopold Bloom, agente publicitario, no es otro que el rey Odiseo y a través de todo el libro se descubre un paralelismo entre *La Odisea* y el viaje de Leopold Bloom a través de las calles de Dublín hasta que finalmente regresa a su casa, a su Itaca. Es necesario tener siempre presente esta identidad para la mejor comprensión del libro.

Por otra parte la realidad física del cuerpo humano está presente también dentro de la obra. Cada parte del libro corresponde a un órgano importante del cuerpo y a un sentido. Así por ejemplo las alusiones abundan según sea el órgano o el sentido a que está dedicado el capítulo: incontables veces se habla de desarreglos digestivos, movimientos peristálticos, aerofagia, acidez, dispepsia, úlcera gástrica, eructo, en el capítulo dedicado al aparato digestivo. De la misma manera, la descripción de sensaciones olfativas abundan en el capítulo dedicado al olfato y a la nariz. Igualmente cada capítulo está escrito con una técnica y con un estilo diferente, muchas veces siendo imitaciones burlescas de los estilos de moda en la literatura inglesa de la época victoriana. Los experimentos estilísticos de Joyce lo llevan, en determinado momento, a una actitud tan sorprendente como la de emplear un sistema descriptivo de tipo *Catecismo del Padre Ripalda* para lograr así una mayor fidelidad de reproducción de la realidad. El penúltimo capítulo del libro está totalmente escrito de acuerdo con este sistema:

"¿En qué direcciones estaban acostados el oyente y el narrador?

"Oyente, sudeste este; Narrador noroeste oeste, a 53 grados de latitud norte y 6 grados de longitud oeste, formando un ángulo de 45 grados con el ecuador terrestre.

"¿En qué estado de reposo o movimiento?

"En reposo relativamente a ellos mismos. En movimiento si se considera que son llevados hacia el oeste, hacia adelante y hacia atrás respectivamente por el propio movimiento perpetuo de la tierra a través de las mutables vías del inmutable espacio."

Asimismo cada capítulo comprende la presencia de un color, de un arte y de un símbolo determinado.

Son cuatro sin embargo los conceptos o motivos que aparecen y desaparecen a través de la obra y que a pesar de su falta de concreción tienen una importancia marcada a lo largo del libro. Son si se quiere la esencia de la "ideología" contenida en *Ulysses*. En torno a ellos giran las especulaciones o las acciones de la mayor parte de los personajes.

El primero de ellos es lo que Joyce llama *"Met-him-pike-hoses"* o *metempsicosis*. Se origina dentro del libro en el hecho de que Molly Bloom, esposa de Leopold, habiendo leído un libro sobre la transmigración de las almas que no ha entendido, a la mañana siguiente pregunta a su marido que qué quiere decir *"met-him-pike-hoses"*, juego de palabras producto de su incapacidad de pronunciar correctamente y que en este caso viene a querer decir literalmente "lo-conocí-zapapico-calcetines". Este motivo, que reaparece a lo largo de la obra, ocupa en repetidas ocasiones las especulaciones de Leopold sobre todo durante el entierro de su amigo Paddy Dignam en que Leopold, apropiadamente, dirige sus pensamientos hacia el "más allá" y divaga sobre la trascendencia y la inmortalidad del alma.

El segundo motivo es lo que Stuart Gilbert llama *El Sello de Salomón*. Se trata en este caso de la conciencia hebrea. Siendo judío, Leopold Bloom no puede evitar que la *weltaunschaung* de su raza deje de infiltrarse en el sentido general de sus opiniones y de sus pensamientos. En medio de una comunidad fanáticamente católica Leopold Virag se ha convertido en el católico Leopold Bloom. De ahí el conflicto interno que condiciona su vida. En un momento dado, hostilizado por un nacionalista por su origen judío, Bloom entabla el siguiente diálogo:

"—Mendelssohn era judío, y Karl Marx y Mercadante y Spinoza. Y el Salvador era un judío y su padre era un judío. ¡Vuestro DIOS!

"—No tenía padre, le responde Martin. Basta ya...

"—Bueno, su tío era un judío, dice él. Vuestro Dios era un judío. Cristo era un judío como yo."

Para Leopold como para Kafka, el judaísmo es en realidad un instrumento de autoflagelación. Para Leopold como para Kafka el judaísmo equivale a angustia, fatiga, inquietud. Mas en esta equivalencia de términos para uno y otro, el concepto de angustia encuentra en el de judaísmo sólo una forma de expresión y determinación histórica, una oportunidad para adquirir cierta realidad. La interpretación racial de la angustia puede ser efectivamente fundada en la psicología del hombre Bloom pero no deja de ser jamás una interpretación limitada y pobre; Bloom, al igual que Kafka, no está todo entero en esa psicología; el judío Bloom evade continuamente el propio judaísmo y no está ni siquiera lejos de considerarlo un mero pretexto para definir, en términos provisorios e históricamente aceptables, un problema que lo inquieta y que él mismo no logra encuadrar y concretar de algún modo objetivamente aceptable con esta angustia kierkegaardiana, trata de alcanzar la fe pero nunca lo logra. Es éste, en el fondo, el conflicto de la burguesía contemporánea. La carencia de una concreción lógica de sus propios problemas, la incapacidad desesperada de formular su propia angustia en otros términos que no sean aquellos que le permitan, por el solo hecho de esa formación, adquirir una realidad individual: "...Cristo era un judío COMO YO". Esta declaración anula toda conciencia de solidaridad racial y es la expresión de un individualismo limitado por la angustia y por el afán de ser, él mismo, una realidad concreta.

El tercer motivo recurrente de *Ulysses* y tal vez el más interesante de toda la novela es el concepto del *Omphalos* y está estrechamente ligado al cuarto que es el concepto de *Paternidad*. Encarnado por Buck Mulligan, estudiante de medicina, fanfarrón ingenioso que sueña con "helenizar la Isla". A este personaje se deben la mayor parte de los juegos de ingenio, los chistes, las ideas descabelladas de *Ulysses*. Buck Mulligan sueña con una granja dedicada a la explotación de la fertilidad humana como si se tratara de una granja avícola. Esta institución, a la que Buck llama *El Omphalos*, es el primer principio de la paulatina "helenización de Irlanda". Se trata aparentemente de una apelación gratuita. *Omphalos* quiere decir en griego *ombligo* y a través de toda la sub-estructura del libro aparece recurrentemente hasta que cobra un sentido perfectamente lógico. En la obra de Stuart Gilbert se hace un análisis exhaustivo de todas las referencias que aparecen en *Ulysses* acerca de este término. Nosotros nos limitamos a señalar simplemente las más notorias y sobre todo aquellas que determinan más obviamente una relación con la *Odisea* ya que en nuestra opinión este concepto sirve fundamentalmente de referencia comparativa entre la trama de *Ulysses* como estructura paralela de la *Odisea*.

El ombligo, en principio, es el símbolo de la paternidad, de la *originalidad*. No tanto por lo que respecta a la genealogía física del hombre, ya que en sí es el símbolo de la ruptura de esa genealogía. En *Ulysses* se trata precisamente de demostrar que existe una paternidad infinitamente más potente que la paternidad meramente física que une al padre con el hijo. Hay una paternidad atávica determinada en cierto modo por Némesis o por metempsicosis, que es la que, en Ulises, aproxima, hacia el final del libro, a Leopold-Odiseo, con Stephen-Telémaco.

Por otra parte la alusión directa aparece contenida en el sentido que el desplazamiento de los personajes tiene dentro del libro. Stephen Dedalus y Buck Mulligan viven en una torre llamada Martello Tower y a la que Buck Mulligan llama "el oráculo délfico más oráculo de todos los oráculos". La traducción estricta de la palabra griega *omphalos* es "punto central" y se consideraba que el centro del mundo era el oráculo

147

de Delfos. Los tratadistas esotéricos desde Hermes Trismegisto, han considerado, por su parte, que el ombligo era la sede de la inspiración profética como lo demuestra el hecho de que la Sibila Pítica era llamada *Ventriloqua vates*.

Leopold Bloom parte también de un omphalos. Su casa de 7 Eccles St. es una representación convencional de la isla Ogigia donde habitaba Calipso y a la que Homero llama "ombligo del mar".

El motivo del omphalos está estrechamente ligado con otro de los temas recurrentes de *Ulysses*; éste es el concepto de *Paternidad*. Stephen sintetiza esta idea mediante la concepción del "teléfono umbilical", o sea un imponderable cordón umbilical mediante el cual quedan "enlazadas" todas las generaciones; el teléfono con que todos los hombres hablan a Edenville 001 con la esposa y compañera de Adam Kadmon (El Rojo): Heva, la mujer paradigmáticamente desnuda que no tiene ombligo, la del blanco vientre, que es simultáneamente Gea-Tellus-Molly Bloom que recuerda su primer amor, "su pecado original" cometido cerca del "muro morisco" en Gibraltar. Ella es, en cierto modo, también la madre de Stephen; aparición fantasmagórica conjurada en el prostíbulo por la embriaguez del hijo que dota al whisky de propiedades telefónicas. La Tierra —la Supermadre. El concepto de paternidad, tal y como es delimitado por Joyce, abarca tanto la paternidad estrictamente hablando, como la maternidad. Si bien la vida de Stephen se define en torno a la búsqueda del padre tal y como Joyce lo apuntaba ya al final del *Artista Adolescente*: "Antiguo padre mío, antiguo artífice, ampárame, ahora y siempre con tu ayuda...", gira también en torno a la concepción sublimada de la Madre. Hay un constante "viaje hacia el útero" en toda la obra, hacia la morada original —Edenville 001— del germen humano; morada que se polariza en el nacimiento y en la muerte, en el origen y en el destino, en el irse y en el venirse: en el parir y en el volver. Leopold Bloom sale de su casa: el hombre es enterrado. Stephen Dedalus sale de su omphalos en busca de su padre y encuentra a Leopold Bloom en el momento en que nace un niño. Mientras tanto la Tierra, Gea-Eva-Molly espera el regreso del esposo Leopold. Penélope en espera de Ulises. Cuando regresa acompañado de Stephen ve en este último la representación de su propio hijo muerto. Es así como finalmente todo lo que al principio del libro está en suspenso se sintetiza: el padre, la madre y el hijo se encontrarán en la realización del acto original. Stephen logrará comunicarse con sus orígenes en los que estaban implícitos los principios genitivos de la especie depositados en el vientre de la Tierra. Circe, le atraerá a su lecho en el que volverá a encontrarse con su padre mediante la relación con su madre.

Para amplificar esta relación familiar por demás compleja, en el capítulo XIV Joyce plantea el problema de la relación entre las personas de la Trinidad; controversia que dio lugar a varias escisiones dentro de la iglesia primitiva. Lo hace mediante una discusión de amigos sobre la relación entre Shakespeare, Hamlet y el Fantasma del Padre de Hamlet.

A lo largo del libro quedan sujetos al juicio de los personajes creados por Joyce todos los valores establecidos, los no establecidos y los que están siendo establecidos, tales como el Estado Libre de Irlanda, sus lazos históricos y políticos con Inglaterra, la Iglesia Católica Romana y su ingerencia en la política irlandesa. Se puede afirmar que aparecen tres héroes en el *Ulysses:* Parnell, encarnación del patriota inmolado por el clero católico; Leopold Bloom, máquina para percibir y concretar el universo y el Espíritu Santo, aliento fundamental de la Irlanda ideal, ámbito en el que sueñan todos los irlandeses como Fausto soñaba en el Eterno Femenino encarnado por Margarita, pero no por Margarita en la rueca, sino por Margarita en la hoguera. Irlanda tiene que ser sometida al fuego inquisitorio del Espíritu Santo, no para su propia salvación sino para la salvación de todo el género humano. Irlanda, como Roma, deja de ser una expresión geográfica o sociológica para convertirse en una idea, en el término final de un proceso histórico, en una Itaca del espíritu, pues todos los hombres son Ulises y todos los hombres van a Itaca.

Ulysses es el poema épico de la cotidianidad, de lo vulgar si se quiere. Las ocurrencias más comunes, las manifestaciones más prosaicas de lo que en la fisiología de los hombres es prosaico, el cuerpo humano con todas sus funciones, las más escatológicas y las más vergonzosas junto con las más sublimes, aparecen detenidamente disecadas por medio del lenguaje y sin embargo sólo los que no han leído *Ulysses* pueden imputarle una oscuridad infranqueable. El hombre no había tenido nunca ante sí una descripción tan obsesionantemente clara de sí mismo, de su cuerpo, pero no de su cuerpo como objeto inanimado, suma de partes, organismo mecánico, sino de su cuerpo como fundamento primordial del Universo. Esta tarea requería un lenguaje nuevo: hacer hablar al cuerpo y a la realidad del mundo inscrita en el cuerpo, en cada víscera, en cada objeto dentro de nuestros ojos, no es lo mismo que hacer anatomía descriptiva. A través de toda la obra Stephen habla con su madre muerta y le dice: "Tócame. Ojos suaves. Suave, suave mamá. Estoy solo aquí. ¡Oh tócame pronto, ahora! ¿Cuál es la palabra que todos los hombres saben?" Esa palabra que busca Joyce en *Ulysses;* el lenguaje absoluto que todo lo dice y que a todos es comprensible. Tal vez, en su último libro, *Finnegans Wake,* lo ha logrado.

Existe toda una serie de ideas que se desprenden de la lectura del libro que sería interesante apuntar aunque sea sumariamente. Entre todas ellas hay una que es interesante subrayar: la idea de *despertar.* La concepción de la vida como un constante y primer despertar ante el mundo; el despertar como nacimiento. Joyce recalca el sentido de esta idea cuando afirma que "tal vez es tan doloroso despertar de un ensueño como nacer". Si nos detenemos a pensar en esto nos damos cuenta de que la descripción del mundo que hace Joyce tiene un sentido sui géneris. Si bien se trata del cuerpo como sujeto de la percepción, se trata además del primer cuerpo o de la primera experiencia perceptiva del cuerpo. Por eso *Ulysses* puede parecer banal si nos limitamos a *leerlo,* porque *Ulysses* no es un objeto de lectura, es más bien un esquema, una fórmula que nos permite, por medio del lenguaje, renacer ante el mundo, ante un mundo que no tiene por qué ser portentoso. En el fondo esa es la enseñanza de Stephen Dedalus. En la

151

magistral escena del burdel, la prostituta Zoe le pregunta a Stephen: "¿Qué día naciste?", y éste le responde: "Hoy, jueves..." y ciertamente podía haber agregado, "yo estoy naciendo constantemente", pues ¿qué es, si no eso, la conciencia poética? —El interminable nacimiento ante las cosas del mundo, ante esa "ineluctable realidad de lo visible", como la llama Stephen.

Si concebimos el lenguaje como una acumulación de partes podemos decir que el *Ulysses* no tiene un lenguaje propio. No se crea en *Ulysses* un nuevo lenguaje tanto como en *Finnegans Wake;* pero si se considera el lenguaje como el receptáculo de una realidad específica que emana del autor, entonces el lenguaje del *Ulysses* es totalmente nuevo porque aporta una realidad enteramente original que determina su estructura.

Hace ya cerca de cuarenta años que se viene hablando de la oscuridad de *Ulysses*. Quienes tal afirman incurren en un grave error. Afirmarlo equivale a confesar una pereza mental. ¿Cómo puede ser obscura una obra ajena a las manipulaciones de la especulativa y donde sólo se transcribe lo real y que no tiene otra pretensión que la de describir; no ya fenómenos inusitados sino tan sólo ese fenómeno maravillosamente vulgar que acompaña todos los actos de la vida? *Ulysses* es extenso, inconexo, caótico, pero no oscuro; es como esa relación interna de la conciencia, como esa narración que nosotros mismos nos vamos haciendo de las cosas que vivimos. *Ulysses* es esa narración recreada artificialmente y decimos artificialmente no con el sentido de arbitrariedad o de *ersatz* que se da comúnmente a este término, sino con el sentido que tiene de ser "cosa hecha de arte", mágica tal vez pero válida en tanto que experiencia estética real.

El lenguaje usual no bastaba para esto; había que recurrir a todos los artificios de la retórica para reconstruir esquemáticamente el curso del pensamiento, para, por aproximación, concretar el sentido de la actividad mental. Los psicólogos —entre ellos Jung— han argüido largamente sobre el *Ulysses*. Afirmaban que el pensamiento no está constituido de palabras, que el *stream of consciousness* no era un *stream of words*. Jung, aun confesando que no había terminado de leer el libro, le dedica un folleto irónico plagado de lugares comunes que poco hablan de la cultura enciclopédica que se le atribuye. Lo cierto es que lo que no han tenido en cuenta aquellos que ofrecían esa objeción es que en el *Ulysses* no se trata ya del pensamiento ni de la estructura interna de éste sino de la Literatura. Corresponde el Ulises más a la afirmación de Hegel de que todo lo real es razonable y todo lo razonable real. *Ulysses* es producto de esa relación dialéctica de lo razonable y de lo real. Independientemente de que el pensamiento conste de palabras o no, no se lo puede concretar sino con lo concreto y en la literatura lo concreto son las palabras, el lenguaje. Podemos, por lo tanto decir, por deferencia hacia los críticos empecinados en impugnar la validez psicográfica del *Ulysses*, que éste es el pensamiento tal como sería el pensamiento si estuviera hecho de palabras.

Todo lo que expresa el *Ulysses*, sin embargo, no puede ser sometido a un análisis disociativo ya que forma en sí una unidad. Pocos son los elementos que pueden ser glosados me-

153

diante tal método. Todavía la magna unidad de la novela que constituye un todo , por eso la exegética joyceana, más allá de las conclusiones a las que llega mediante el análisis del lenguaje y los métodos de investigación de la estilística, no podrá concebir la validez del *Ulysses* en toda su extensión sin recurso a las formulaciones de un humanismo que sepa extractar de la obra literaria, la condición en que medra el espíritu, el Hombre y la condición del Escritor para quien el mundo está hecho sólo de palabras.

NOTAS
1. Husserl, *Idee per una Fenomenologia Pura.* Edición italiana de Einaudi. p. 224. Traducción del fragmento citado, hecha por el autor.
2. Merleau-Ponty, *Phénoménologie de la Perception.* pp. 260 *et seq.*

riocorrido[1] más allá de la de Eva y Adán;[2] de desvío de costa a
encombadura de bahía, trayéndonos por un cómodio[3] vícolo[4]
de recirculación[5] otra vuelta a Howth Castillo y Enderredores.[6]

Sir Tristram,[7] violer d'amores,[8] habiendo cruzado el corto
mar, había pasancor[9] revuelto de Nortearmórica,[10] de este lado del estrecho istmo de Europa Menor para martibatallar en
su guerra peneisolar,[11] ni habían las rocas del alto psawrrador,[12] esparcidas a lo largo del arroyo Oconee,[13] exagerádose
a sí otras mismas a los gorgios del Condado de Laurens mientras iban dubliando todo el tiempo su mendiganancia;[14] ni
una voz salida del fuego surgía diciendo mishe mishe a tauftauf tuespetrarricio,[15] ni entonces, aunque poco después, el
muchacho pseudocabronizado, engañó al viejo blandiciego
isaac:[16] no; todavía no, aunque todo se valenvenerecía a lo largo de la rutha en que susuenan las lianas de nanathajo con
que tejen las estheras:[17] Pudre un pito con malta la cerveza
del viejo que Sem y Cam habían caldeado a la luz de lampara-

rea,[18] hacia el último extremo del sarkoliris[19] visto anulosamente sobre la caragua.[20]

La caída[21] (¡bababadalgharaghtakamminarronnkonnbronntonnerronntuonnthunntrovarrhounawnskawntoohoohoordenenthurnuk!)[22] de uno que fue magnate senilgual[23] en walstrit[24] es descontada[25] temprano en la cama y más tarde en la vida a través de toda la juglaría cristiana.[26] La gran desparedición[27] que dió desde lo alto llevaba ya consigo, a corto aviso, la pftschute de Finnegan,[28] el irlandenso; tanto, que el mismo huevinflonfete[29] manda plumptamente otro de los suyos a investiriguar, lejos, hacia el oeste, por el estado de sus didideditos de los pies[30] y sus puntapicantes las halla bien sentadas en el golpetope del parque[31] donde fueron tendidas las naranjas[32] desde el primer día en que el diabluín amó a livy donosamente.[33]

NOTAS

1. *riocorrido* (riverrun): aquí tiene el sentido de curso o recorrido del río Liffey a través de la ciudad de Dublín. La frase que comienza con esta expresión constituye el complemento de la oración final del libro mediante la cual el principio del *Finnegans* se convierte en la continuación de su propio final formando así una unidad cíclica en sí misma.

2. *más allá de la de Eva y Adán* (past Eve and Adam's): *Eve and Adam's Church,* taberna de Dublín situada sobre la margen del Liffey. Alude aquí Joyce tanto a la polaridad sexual primaria, como a la caída espiritual causada por el pecado original, lo que vendrá a ser uno de los motivos alegóricos fundamentales del libro.

3. *cómodio* (comodius): alude a la persona del emperador romano Lelio Aurelio Cómodo, hijo de Marco Aurelio, en cuyo reino se evidenciaron los primeros síntomas de la ineluctable descomposición del Imperio. Aquí significa *cómodo* o *placentero.*

4. *vícolo* (vicus): aquí tiene esta expresión el sentido de vía o camino a la vez que alude al filósofo italiano Gianbattista Vico (1668-1743) formulador de la teoría del *corso y ricorso storico,* teoría que concibe la evolución histórica como un movimiento circular y que es como la subestructura formal del *Finnegans* en tanto que el libro está concebido en su desarrollo de acuerdo con esta idea circular de la historia.

5. *recirculación* (recirculation): otra alusión a los *ricorsi storici* de Vico.

6. *Howth Castillo* y *Enderredores* (Howth Castle and Environs): debemos tener en cuenta que Joyce concibe en el *Finnegan's* a la ciudad de Dublín como un gigante yaciente, extendido de Este a Oeste al lado de su amante Anna Livia (el río Liffey).

Conforme a esta idea el Castillo de Howth y sus alrededores vendrían a corresponder a la cabeza del gigante. Esta idea antropomorfotopográfica comporta, por lo demás, una pluralidad de significaciones ya que el personaje central del libro, Mr. H.C. Earwicker (N.B. las iniciales de este nombre corresponden a las de la cláusula citada), es en realidad el amante de Anna Livia Plurabelle o ALP.

7. *Sir Tristram:* referencia indirecta al héroe Tristán, amante de Iseo o Isolda. Esta princesa figura en los romances como nativa de Irlanda o Bretaña (Armórica). Alude también, más directamente, a Sir Almeric Tristram, invasor anglonormando, conquistador de Irlanda y que es el fundador del Castillo de Howth.

8. *...violer d'amores:* tocador o tañedor de la *viola d'amore,* o violador o estuprador. Invasor que viene a desolar Irlanda desde la Bretaña del Norte o Nortearmórica (Inglaterra).

9. *...pasancor* (passencore): pas encore (Fr.)-todavía no.

10. *...revuelto de Nortearmórica* (...rearrived from North Armorica): vuelto de Armórica o Bretaña Septentrional (Inglaterra).

11. *...guerra peneisolar* (penisolate war): Sir Tristram (el amante de Iseo) viene, desde luego, a pelear una guerra de carácter sexual en la que el pene tendrá las funciones de arma espectacular. Probable alusión al dublinés Arthur Wellesley, Duque de Wellington, cuya memoria conmemora la ciudad de Dublín con una columna heroica que se levanta en la región antropomorfotopográfica de la ciudad correspondiente a los órganos genitales del gigante. Hacemos notar que esta columna aparece ya como uno de los motivos de *Ulysses* con un carácter genitivo; recordemos que desde lo alto de su mirador las dos viejas escupen hacia la calle huesos (o semillas) de ciruela.

12. La expresión *Nortearmórica* alude por sugerencia a Norteamérica. Aquí Joyce introduce motivos entresacados de las novelas de Mark Twain y que él ha metamorfoseado para satisfacer las necesidades de su libro. Así *alto psawrrador* es, a la vez, una alusión a Tom Sawyer y al *top sawyer* que es, entre dos aserradores que tajan un tronco, el que mueve la sierra hacia arriba en oposición al *pit sawyer*, que la mueve hacia abajo.

13. El arroyo Oconee corre a través del condado de Laurence en Georgia, EE. UU. Esta expresión alude probablemente al vocablo gaélico *ochnee* que significa pesar o tristeza.

14. Joyce ha hecho una duplicación cartográfica: la cabecera del condado de Laurence, en Georgia, es Dublín. Quiere el autor implicar en la trama a los emigrados irlandeses que viven en EE. UU. Los gorgios son, desde luego, los habitantes de Georgia. Las rocas son el dinero que no han logrado aumentar (exagerar) con su trabajo de emigrados. Este pasaje alude también, probablemente, a la conquista anglonormanda de Irlanda efectuada por el ya mencionado Sir Almeric Tristram durante el obispado de Lawrence O'Toole o posiblemente, al cambio de apellido del conquistador que adoptó el de Lawrence después de haber

ganado una batalla durante la cual se había acogido a la protección de San Lorenzo.

15. *ni una voz..:* alude Joyce a la cristianización de Irlanda. La expresión *tauftauf,* del alemán *Taufen:* bautizar, significa la relación entre San Patricio y su mentor San Germánico. Desde las profundidades de un fuego subterráneo (el Purgatorio, *Pat's Pit,* que Patricio había invocado trazando un círculo en el suelo) se eleva la voz de la diosa pagana Birgit, protectora, según Graves, de los bardos kelticogaleses, que después de su conversión al cristianismo es Santa Brígida y que aquí se manifiesta "epifánicamente" diciendo "Yo soy, yo soy" (mishe, mishe) afirmando a la vez su carácter generatriz y maternal cuya manifestación posterior en el libro no será otra que ALP, la amante de HCE, o sea Anna Livia Plurabelle.

16. Aluden estas líneas a la oposición fraternal mediante una alegoría extraída del Antiguo Testamento, Gn. XXVII, en la que Isaac deseando beneficiar a su hijo mayor Esau, se convierte en el blanco de las burlas de su hijo menor, Jacob, que disfrazado con una piel de cabra se burla de su padre. Con esta alegoría que ha servido a los paleontólogos para determinar la antigüedad de la miopía, alude Joyce, posiblemente, a su propia enfermedad.

17. Con estas líneas alude Joyce, en primer lugar, a la relación entre Jonathan Swift (nanathajo) que había sido "totalmente trastocado" (*utterly confounded*) por el amor de dos jóvenes mujeres, Stella y Vanessa (vanessy) además se refiere a tres heroínas bíblicas que fueron el objeto amoroso de ancianos: Susana (susuenan), Ruth (rutha) y Esther (estheras). (Nota: Nanatajo es el nombre que se da en Venezuela a una fibra extraída del cinomorio, género de las Balanoforáceas, tribu de la cinomorieas, que medra en los terrenos calcáreos de algunos puntos de la cuenca del Orinoco, con la que se tejen esteras —Según Humboldt.)

18. Alude en estas líneas el autor al pasaje en Gn. VIII, 18-29, referente a Noé de quien se burla su hijo Cam cuando lo ve ebrio.

19. *sarkoliris* (regginbrow): metamorfosis de *rainbow*, arcoiris, usando la palabra *ceño* (brow). Nosotros hemos telescopiado en esta versión la expresión griega *sarkos* (mueca) que tiene un sentido cercano a *brow*.

20. *caragua* (aquaface): la superficie de las aguas. El arcoiris significativo de la serenidad después de la tormenta, aparece como un gran anillo (ringsome) radiante sumergido parcialmente en la superficie del mar.

21. La caída, uno de los motivos fundamentales del libro, es aquí presentada por primera vez con toda su secuela de significaciones.

22. El vocablo multisilábico incluido parentéticamente comporta varias significaciones: es el estruendo que provoca el albañil Finnegan al caer desde lo alto del muro y es también la voz del trueno con que concluye el *Stadio barbárico* o primer ciclo de la "recirculación" de los *ricorsi* de Vico en que el hombre primitivo concibe al trueno como la voz de Dios.

23. ...*magnate senilgual:* telescopia en esta expresión Joyce una alusión a Lucifer, magnate sinigual, que *cayó* y a Old Parr, personaje de la mitología irlandesa, famoso por su prodigiosa longevidad.

24. *walstrit* (wallstrait): con esta expresión alude el autor a la pared desde lo alto de la cual cayó Finnegan y a la fluctuante existencia de las cotizaciones bursátiles amenazadas siempre por la inminencia de su devaluación o *caída.*

25. *descontada* (retaled: retold): metamorfosis en que para seguir dentro del cuerpo de los motivos bursátiles se hace alusión al descuento de letras de cambio y se emplea con el significado de contada, narrada, relatada.

26. La Historia, a partir de la instauración del cristianismo, refiere todos los actos nefandos del hombre al principio corruptor del pecado original, o la Caída. La expresión "juglaría cristiana" tiene aquí el sentido de Historia Moral.

27. *desparedición* (offwall): tiene aquí el sentido de desaparición, anonadación y caída. Finnegan, cuyo velorio conmemora el título de la novela, ha muerto a consecuencia de una caída desde lo alto de un muro en construcción.

28. ...*la pftschute de Finnegan:* sugiere el vocablo francés *chute,* caída: la caída de Finnegan.

29. ...*huevinflonfete* (hump hillhead): alude al personaje de Lewis Carrol en *Alice in Wonderland,* Humpty Dumpty, que es un huevo con pequeñas piernas y brazos y que lleva en la cabeza un sombrero de copa. Alude aquí Joyce al germen original de la raza; por otra parte, corresponde este vocablo en la antropomorfotopografía del *Finnegans* a la cabeza del gigante yaciente o sea el Castillo de Howth.

30. El gigante dublinomórfico acaba de caer desde lo alto sobre la ribera del Liffey. Su primer impulso es cerciorarse del estado en que han quedado sus extremidades inferiores. Las descubre en excelente estado, asentadas sobre un bello parque (Edenborough del *Ulysses;* Phoenix Park de Dublín).

31. *parque...* Phoenix Park. Parque público de Dublín. Las uñas de los dedos de los pies del gigante (*puntapicantes:* upturnpikepointandplace) —representación alegórica de la garra del fénix— reposan sobre el prado del parque histórico.

32. Alude a un famoso combate que tuvo lugar en Phoenix entre los nacionalistas y los irlandeses protestantes que propugnaban la unión con Inglaterra.

Posteriormente a la batalla de Boyne, con que fue consolidada la conquista de Irlanda en 1690, los irlandeses protestantes anglófilos fundaron la *Loyal Orange Institution* para promover la indisolubilidad de los nexos de dependencia con Inglaterra que entonces era gobernada por el rey Guillermo de Orange, así como para fomentar la oposición al catolicismo. Por extensión se siguió llamando "orangemen" a los irlandeses protestantes y anglófilos habitantes sobre todo del Condado de Ulster o sea Irlanda del Norte. Cerca del parque existe un cementerio donde descansan los restos de todos estos "invasores". Esta expresión se ha visto referida por algunos críticos al vocablo malayo *orang-utang* de donde viene *orangután* que significa hombrecillo de la selva. Por nuestra parte consideramos que en este caso hubiera quedado fuera de contexto a no ser que Joyce se refiriera expresamente a los redactores de *El Corno Emplumado*.

33. El río Liffey es el nexo de solidaridad entre la población de Dublín y la población rural de Irlanda. Hace posible la resistencia a los "orangemen".

IL MIGLIOR FABBRO

Si es cierto que a lo largo de cincuenta años la obra de Pound ha merecido el elogio desenfrenado de sus admiradores, así como el denuesto de aquellos que veían en él más al político que al poeta que desde la publicación de su primer libro, en 1908, había incorporado al acervo poético universal una nueva modalidad de manipulación de los valores y las fórmulas poéticas, la carrera de Ezra Pound se ve puntualizada por una serie de hechos importantes en la historia de las letras actuales: no hay que olvidar que fue él quien corrigió el borrador de *The Waste Land* y reunió los fondos para publicar *Ulysses;* además, la aparición de sus propios libros fue un escalonamiento sucesivo hasta llegar de plano a su creación monumental, los *Cantos.* Habitante imperturbado del mundo de la poesía, su torre de marfil, sin embargo, estuvo situada en el centro del mundo de la historia, y desde su mirador inasequible el poeta no dejó de ser el testigo presencial, cuando no una especie de actor, del drama de una época que ha visto la dislocación, cada vez más violenta, de la continuidad que proponía el liberalismo.

Nos atenemos aquí a la poesía de Pound que antecede a los *Cantos* porque creemos que si bien éstos vendrán a ser considerados como el cuerpo principal de su obra poética, requieren aún la exégesis y el proceso de selección natural del tiempo y la lectura. Encontramos, de todos modos, que su fundamento está más accesiblemente planteado en la poesía que les precede.

La reacción más importante de la poesía del siglo se encuentra enderezada contra el simbolismo. La poesía inglesa contribuye a esta reacción principalmente con el movimiento *imagiste*, del que Pound fue un exponente superlativo. La referencia constante que la poesía simbolista hacía a una superrealidad inaccesible, situada más allá de los límites estrictos del lenguaje y de la forma poética, aparecía como inadecuado vehículo de la sensibilidad contemporánea. La sensación, que para Baudelaire era la raíz fundamental del poema, nos será dada por los poetas *imagistes* como un hecho puro, desprovisto de las *robes surannées* de la retórica tradicional. Un pequeño poema de Pound ejemplifica, a nuestro juicio, con gran certeza, esta modalidad poética:

> *The gilded phaloi of the crocuses*
> *are thrusting at the spring air,*
> *Here is there naught of dead gods*
> *But a procession of festival,*
> *A procession, O Giulio Romano,*
> *Fit for your spirit to dwell in.*
> *Dione, your nights are upon us.*

The dew is upon the leaf.
The night about us is restless.[1]

Este poema, que tiene el título *Coitus,* forma parte del libro *Lustra,* entre todos los libros de Pound a que se refiere este ensayo, tal vez el más rico.

La obra poética de Pound se inicia en 1908 con la publicación en Venecia, de un libro intitulado *A Lume Spento.* Los poemas que contenía este libro pasaron más tarde a formar parte del cuerpo de su primera obra de cierta amplitud, *Personae.* Estos poemas acusaban ya un desasosiego con las formas que imperaban a principios del siglo en la poesía inglesa. Hay en todos ellos una intención manifiesta de poner al día lo que los simbolistas y "decadentistas" habían realizado en su tiempo. No debemos olvidar que éstos eran los tiempos en que la poesía de Manley Hopkins aún no había sido "descubierta". El poema *La Fraisne* recuerda, por el tono, la famosa paráfrasis de Dowson *Non sum qualis eram bonae sub regno Cynarae:*

But I have put aside this folly, being gay
In another fashion that more suiteth me.[2]

El tono levemente arcaizante acusa, sin lugar a dudas, una nostalgia del último romanticismo, el romanticismo inglés de los discípulos "prerrafaelistas" de John Ruskin.

Personae, por otra parte, contenía en forma de bosquejo, los inicios de lo que, posteriormente y fundamentalmente en los *Cantos,* vendría a ser el meollo de la preocupación poética de Pound: la paráfrasis de la gran poesía china, griega, latina, provenzal e italiana del Renacimiento. El libro incluye ya un número de versiones personales de famosas canciones de trovería, así como transcripciones modernizadas de *epigrammata* y de poemas caligráficos orientales. Hay también una traducción parafrástica de un soneto de *Les Regrets* de Du Bellay y otra de un poema de Leopardi. Esta búsqueda constante y erudita en los resquicios de la poesía universal, con la finalidad de darle una forma nueva sin alterar el contenido esencial, desembocará posteriormente en el *Homage to Sextus Propertius,* una de las obras más importantes de Pound.

En 1912 publica Pound un pequeño libro con el título de *Ripostes.* Este libro continuaba la labor parafrástica iniciada en *Personae,* aunque aquí sus ambiciones habían tomado proporciones mayores. Entre las paráfrasis cabe mencionar, por su importancia, una bellísima versión del poema anglosajón *The Seafarer,* y entre los poemas "personales" se destaca el famoso *Portrait d'une Femme.*

> *Your mind and you are our Sargasso Sea,*
> *London has swept about you this score years*
> *And bright ships left you this or that in fee:*
> *Ideas, old gossip, oddments of all things...*[3]

Este libro incluía otro poema notable, sobre todo por el carácter controversial en que estaba sustentado. Tiene por título *N.Y.* y está escrito en un tono "whitmaniano" que Pound no ha dejado nunca de denostar:

> *My City, my beloved, my white Ah, slender...*[4]

166

y que con los años habría de acabar por ganarle la partida en más de una ocasión. En *Lustra,* su libro siguiente (1916) decide transar con Whitman:

> *I make a pact with you, Walt Whitman—*
> *I have detested you long enough...*[5]
> ("A Pact")

Lustra contiene algunos poemas notables. Aquí el poeta se individualiza nuevamente. Las paráfrasis, si es que existen aquí como tales, han sido llevadas más allá del límite extremo en que el contenido original subsiste. De la representación pura y de la erudición poética Pound pasa a la angustia social (no a la angustia política). *Lustra* es un libro epigramático, revelador de un despertar de conciencia enderezado a percibir la desigualdad social en los pequeños incidentes íntimos como una forma sutil de lo terrorífico:

> *Come, my friend, and remember*
> *that the rich have butlers and no friends,*
> *And we have friends and no butlers.*[6]

La poesía de Pound que en sus libros anteriores se encontraba inmersa en un mar metafísico y lingüístico, asciende aquí hasta la superficie de la realidad escueta. Se apodera de su vocabulario poético la última arpía que no le había clavado las garras, la que representa a sus semejantes pululando en torno al poeta como espectros de un mundo virtual y, sin embargo, realísimo; un mundo que a lo largo de treinta años col-

167

maría cien interminables *Cantos* con las justificaciones teóricas de una economía basada en un sistema ideado por el economista inglés Douglas y preconizado por Pound: *Social Credit*.

En este libro los pequeños poemas circunstanciales (hay algunos que recuerdan los poemas circunstanciales de Goethe) reducen a uno o dos versos situaciones que la prosa nunca hubiera podido compendiar:

> *Her boredom is exquisite and excessive.*[7]
> ("The Garden")

Su capacidad de síntesis se sustenta en pequeños descubrimientos idiomáticos acentuados con observaciones agudísimas del mundo que lo rodea. El mundo familiar al que se ciñe la burguesía contemporánea y en el que naufragan los impulsos de la juventud, se ve certeramente retratado en un poema por medio del cual Pound comisiona a su poesía para llevar un mensaje de rebelión capaz de dislocar la solidaridad familiar:

> *Go to the adolescent who are smothered in family*
> *Oh, how hideous it is*
> *To see three generations of one house gathered together!*
> *It is like an old tree with shoots,*
> *And with some branches rotted and falling.*[8]
> ("Comission")

Si tenemos en cuenta que este libro fue publicado durante la Gran Guerra, en un tiempo en que la disolución del viejo orden jerárquico imponía cada vez con mayor violencia nuevas humillaciones a los que propugnaban aún la continuidad del "laissez faire, laissez passer" liberal, los pequeños poemas de Pound manifestarán su valor profético a la vez que crítico. Una situación anecdótica, tal vez entresacada de alguna "guirnalda" pseudo-clásica, da lugar en la visión del poeta contemporáneo a una caricatura terrible:

> The family position was waning,
> And on this account the little Aurelia,
> Who had laughed on eighteen summers,
> Now bears the palsied contact of Phidippus.[9]
> ("Society")

En otro poema Pound se plantea el problema de la creación en el mundo contemporáneo, no sin cierta ironía, como un conflicto entre la mezquindad social generalizada y el desinterés y la aplicación de la inteligencia:

> O God, O Venus, O Mercury, patron of thieves,
> Lend me a little tobacco-shop,
>   or install me in any profession
> Save this damn'd profession of writing,
>   where one needs one's brains all the time.[10]
> ("The Lake Isle")

El libro concluye con una paráfrasis del provenzal, *Provincia Deserta*, pletórica de referencias geográficas y arqueológicas. En este poema se anuncia ya la retórica pormenorizante y compleja de los *Cantos* que no harán su aparición sino algunos años después.

Parece como si toda la obra de Pound fuera una red de afluentes destinados a aumentar el cauce de un río mayor. Este río son los *Cantos*. Ellos no podían haberse producido sino en el momento en que se produjeron; cuando el lenguaje de Pound ya había absorbido todos los elementos que él había ido reuniendo poco a poco. Cada uno de sus libros le aportó un elemento nuevo que en los *Cantos* se sintetizó con los demás para formar una gran unidad poética. Después de *Lustra* le faltaban, a juicio suyo, aún tres cosas: la compenetración con la poesía china, el propio examen de conciencia y el dominio absoluto de la paráfrasis como género poético. Sus tres libros siguientes se encargaron de procurarle esos elementos. Después de *Lustra* apareció *Cathay*, libro compuesto íntegramente de transcripciones de antiquísimos poemas chinos. Aunque la imputación hecha a Pound de que su chino es de "taza de té" quizás no carezca de fundamento, lo cierto es que estas traducciones tienen una gran belleza:

> *Blue, blue is the grass about the river*
> *And the willows have overfilled the close garden.*
> *And within, the mistress, in the midmost of her youth,*
> *White, white of face, hesitates, passing the door...*[11]
> ("The Beautiful Toilet")

La relación directa con los originales es difícilmente extricable; lo evidente es la sabia manipulación de las cláusulas

170

poéticas, puestas al día, sublimadas, convertidas al meollo de un lenguaje tal vez ajeno pero bellísimo. *Cathay* tiene más valor como ejercicio retórico que como creación desinteresada, pero es, no obstante, un ejercicio que se toca con los hechos de la creación poética más pura.

A *Cathay* siguió la publicación del poema en que Pound volvía los ojos hacia su propia personalidad y hacia la historia de su vida. T.S. Eliot, en su ya famoso prólogo a la edición londinense de la poesía de Pound de 1929, ha establecido con toda claridad las dos etapas fundamentales en que podría dividirse la obra de Pound. La primera etapa, de evolución constante, culmina con su poema vagamente autobiográfico *Hugh Selwyn Mauberley*, poema al que Eliot, contra la opinión de Pound, considera "*worthy of preservation*" y en el que encuentra ya perfectamente instrumentado el legado de los maestros, sobre todo franceses, que habían de convertir el *vers libre* en la fórmula ideal de la poesía europea de nuestros días. Es por lo tanto Pound el que introduce a la lengua inglesa las formas poéticas creadas por Laforgue y Tristan Corbière. El poema al que nos referimos encierra gran parte de los puntos sobresalientes del dogma poético al que Pound había de dar su adhesión en años subsecuentes. Hacen ya su aparición en este poema los "innuendos", las citas, las sugerencias y las transcripciones de la poesía de otros autores y de otras épocas aunadas a las expresiones idiomáticas del lenguaje cotidiano, formando parte del sentimiento poético propio de Pound:

He passed from men's memory in l'an trentiesme
de son eage; the case presents...[12]
("E.P. Ode Pour L'Élection de son Sépulcre, I")

La evocación de Villon trae consigo el germen de la constante búsqueda de Pound en el lenguaje poético del Renacimiento y de la poesía provenzal que más tarde se apode-
raría con tanta fuerza de su imaginación.

En la segunda parte del poema establece su credo poético
con toda claridad; después de hacer una afirmación que
pocos, actualmente, no suscribirían:

> *...but seeing he had been born*
> *In a half-savage country, out of date;*[13]
> (Id-1)

pasa a lamentarse de que ese "half-savage country" no sea,
ni con mucho, el monitor de la cultura contemporánea:

> *The age demanded an image*
> *Of its accelerated grimace,*
> *Something for the modern stage,*
> *Not, at any rate, an Attic grace;*[14]

Propugnaba asimismo un retorno al clasicismo desposeído
de los resabios espurios que habían hecho de la poesía victoriana un hecho "disfrazado" en el que pululaban aún los fan-
tasmas del subjetivismo romántico:

Not, not certainly, the obscure reveries
Of the inward gaze;
Better mendacities
Than the classics in paraphrase...[15]
(Id II)

Su desilusión con lo suyo, su patria, su tiempo en su patria, le repugna y le hace exclamar:

All men, in law, are equals,
Free of Pisistratus,
We choose a knave or an eunuch
To rule over us.[16]
(Id III)

La fusión del lenguaje llano con la intensidad de una visión poética inusitada la mayor parte de las veces, de la confrontación de la soledad individual con la pantonomía de una sociedad canina, tiene ya aquí la misma expresión que otro norteamericano renegado, T.S. Eliot, le habría de dar en poemas como su *Coriolanus*.

Termina este poema con un *Envoi* en el que, no obstante, Pound hace una afirmación que tiende a reavivar un fuego sacro. Parafraseando la famosa *Ballateta* de Guido Cavalcanti que Eliot a su vez había de adoptar como modelo formal de su poema *Ash Wednesday,*

Perch'io non spero di tornar giammai
Ballateta, in Toscana,

Va' tu leggera e piana
Dritt'a la dona mia...[17]

Pound trata de circunscribir el hecho poético fundamental
a la experiencia amorosa como término ineluctable de la
creación poética:

> *Go, dumb-born book,*
> *Tell her that sang me once...*
> ....
> *When our two dusts with Waller's shall be laid,*
> *Siftings on siftings in oblivion,*
> *Till change hath broken down*
> *All things save beauty alone.*[18]

Este poema fue escrito en 1919. Al año siguiente Pound escribió un corolario intitulado *Mauberley* en que las fórmulas
arqueologizantes, presagiando a los *Cantos,* por su abundan-
cia, desvirtuaban la naturaleza lírica del poema original.

Después de *Hugh Selwyn Mauberley* apareció la obra de
Pound que le habría de dar maestría en una labor de la que
no se había mantenido alejado desde la publicación de su primer libro: *Homage to Sextius Propertius.* Eliot, en el prólogo
antes citado, refiriéndose a este poema dice que "cada gene-
ración debe traducir a los clásicos de acuerdo con sus propios
medios". Una buena maestra de esto han sido las traducciones de la *Odisea* de T.E. Shaw (Lawrence de Arabia) y de Ro-
bert Graves. Los que quieran ver en el poema de Pound un

colofón a los Budé o a la Loeb Library no tardarán en decepcionarse. El *Homage* es más que una traducción y más que una paráfrasis. Se trata de una retranscripción poética de fragmentos selectos de los libros II y III de las *Elegías* de Propercio. R.P. Blackmur en *Form and Value in Modern Poetry* dice lo siguiente acerca de este poema: "Las selecciones no son consecuentes con el texto latino, ni se complementan entre sí... Pound arregla, omite, condena y ocasionalmente añade al original de acuerdo con sus propios propósitos".

Sirve para ejemplificar la manera general en que Pound trabaja la confrontación de las diferentes versiones de uno de los versos latinos. Propercio dice:

> *Exactus tenui pumice uersus eat*
> (*Elegiarum*, III, i, 8.)

H.E. Butler en la traducción de la Loeb Library dice por su parte:

> *Let verse run smoothly, polished with fine pumice.*

La traducción francesa de Paganelli, a su vez, traduce este verso, no sin cierto *esprit*, de la manera siguiente:

> *Vive le vers léger, bien poli et limé;*

Pound en su transcripción poética lo convierte en:

> *We have kept our erasers in order,*
> ("Homage to S.P.", I)

lo que en castellano equivaldría aproximadamente a:

Hemos tenido nuestras gomas de borrar a mano.

Como puede apreciarse por este ejemplo mínimo, Pound tiende a recrear el valor poético más mediante un procedimiento crítico que por la revaloración lingüística inherente a la traducción o a la versión clásica tradicional. El metro, el sentido general de ritmo, está más cerca del original latino que las versiones disfrazadas de los filólogos. En el verso, por ejemplo,

> *Upon the Actian marshes Virgil is Phoebus' chief of police,*[19]
> ("Homage to S.P." , XII)

la equivalencia ha sido dotada de una significación que no por ser actual pierde su sentido universal.

Con el *Homage to Sextius Propertius* se cierra el ciclo de la poesía poundiana anterior a los *Cantos*. En la opinión de Blackmur "Pound ha contribuido con algo mayormente cercano a su sensibilidad propia, teniendo algo con qué comenzar, en el *Homage,* que en el *Hugh Selwyn Mauberley,* en donde se encontraba limitado por sus propios medios sin tener más que una finalidad que alcanzar en lugar de un punto de partida".

La certidumbre de la evolución del lenguaje poético de Pound que obtenemos de la visión panorámica de la obra de este poeta desde la publicación de *A Lume Spento* (1908) hasta el *Homage to Sextius Propertius* (1934) no deja de ser significativa, sobre todo si tenemos en cuenta que a partir de 1925, año en que aparece el "boceto de los primeros veinticinco

Cantos, —antes, inclusive, de la publicación del *Homage*—, el lenguaje de Pound había adquirido ya todas las características que habían de subsistir, con pocas variantes, hasta la terminación de los últimos. Después del *Hugh Selwyn Mauberley* comienza propiamente la época de los *Cantos,* afines en muchos aspectos al *Homage,* cargados también de espectaculares, cuando no banales, gesticulaciones retóricas. En ellos la paciencia no dejará, sin embargo, de descubrir ocasionalmente las perlas de la verdadera poesía.

A Pound le ha sido imputada, algunas veces solamente, una delectación exagerada en el aspecto negativo de la existencia. Aquellos que pretenden extraer de la poesía lecciones de civismo, sus compatriotas particularmente, lo han inculpado de no haber dado un buen ejemplo cuando su país más lo necesitaba. Esta reprobación es de orden ético y no estético. Después de todo, las inclinaciones personales de un poeta importan bastante poco. Lo que importa es la calidad y no el tipo de su emoción poética. Si el "buen ejemplo" fuera esencial a la grandeza, la poesía del mundo se vería considerablemente disminuida. La voz de Pound es, en muchas instancias, la voz de una desilusión profunda, pero esta característica no le resta a su poesía nada de su verdad intrínseca, ni entorpece la revelación de los secretos de un alma atormentada, con un lenguaje sorpresivamente nuevo.

La Historia constituye un *addendum* imprescindible de la gran poesía de todos los pueblos. La poesía de Ezra Pound no escapa a esta fatalidad. La Historia habla muchas veces por boca de los poetas. Los malos poetas sólo saben arrancarle un gemido inarticulado creyendo ver en el accidente político el rostro de Clío. La política es una adjunción circunstancial de la Historia. La poesía de Pound puede dividirse por lo que a esto respecta en dos grandes partidas; la que ha sufrido esta confusión lamentable y que corresponde en muchos casos a la época de los *Cantos* y la que siempre supo discernir claramente. Si bien es cierto que a Pound se le conoce más por los *Cantos,* no debemos olvidar que la popularidad de un poeta es casi siempre uno de sus valores más ficticios. La obra anterior a los *Cantos* ha sufrido el destino de una indiferencia inmerecida. La anécdota personal, centrada en torno a las actividades "microfónicas" del poeta, ha venido a entorpecer el libre curso de su difusión. El Pound que hablaba por la radio desde Roma, era más el Pound de los *Cantos* que el Pound de *Lustra,* al que Eliot, en la dedicatoria de *The Waste Land* había aplicado el significativo epíteto dantesco: *il miglior fabbro.*

NOTAS

1. Los dorados falos de los azafranes / acosan el viento primaveral; / Aquí no hay dioses muertos / sino una procesión festiva, / una procesión, oh Giulio Romano, / digna de acoger tu espíritu. / Dioné, tus noches ya nos ciñen. / El rocío yace sobre la hoja. / La noche se agita en torno de nosotros.

2. Pero he alejado de mi mente este desvarío, alegrándome de alguna otra manera que más me conviniera.

3. Tu mente y tú son nuestro Mar del Sargazo, / Londres te atropelló de un lado a otro en estos años / y los lucientes barcos te dejaron en prenda / ideas, viejas habladurías y pequeños fragmentos de las cosas...

4. Mi ciudad, mi bienamada, mi blanca, ¡ah, espigada...

5. Hago un pacto contigo, Walt Whitman / hace mucho tiempo que te detesto...

6. Ven, amigo mío, y recuerda / que los ricos tienen mayordomos y no tienen amigos / y que nosotros tenemos amigos pero no mayordomos.

7. Su tedio era exquisito y excesivo.

8. Id al adolescente que se asfixia en el seno de la familia / ¡Oh, qué horrible es / ver tres generaciones de una casa reunidas! / ¡Es como un árbol seco con retoños / del que caen otras ramas ya podridas!

9. La situación de la familia menguaba; / es por esto que la pequeña Aurelia / que se había reído de dieciocho veranos / soporta ahora el contacto artrítico de Fidipo.

10. Oh Dios, Oh Venus, Oh Mercurio, patrón de los ladrones, / préstame una pequeña tabaquería, / o instálame en cualquier profesión / que no sea esta maldita profesión de escribir / donde hace falta el seso todo el tiempo.

11. Azul, azul crece el pasto a la orilla del río / y los sauces desbordan el jardín encerrado / y adentro la señora, en la mitad exacta de su juventud, / blanca, de blanco rostro, vacila un instante al cruzar el umbral...

12. Los hombres lo olvidaron en *l'an trentiesme / de son eage*; este caso presenta...

13. ...pero viendo que había nacido / en un país semisalvaje, fuera de su tiempo;

14. Los tiempos reclamaban una imagen / de su mueca acelerada, / algo que sirviera para el nuevo teatro, / nada, ciertamente, que recordara la gracia ática.

15. No, de ninguna manera, los ensueños sombríos / de la mirada interna; / mejores mentiras / que los clásicos en paráfrasis...

16. Todos los hombres, ante la ley, son iguales, / libres de Pisistrato; / hemos elegido a un pícaro o a un castrado / para que nos gobierne.

179

17. Porque no espero retornar jamás, / cancioncilla, a Toscana, / ve tú, ligera y llana / derecho a la dueña mía...

18. Ve, libro mudo de nacimiento, / dile a la que una vez me cantó... / Cuando nuestras cenizas yazgan lado a lado / cernidas por el olvido, / hasta que las mutaciones hayan quebrantado / todas las cosas y sólo quede intacta la belleza.

19. En los pantanos de Accio Virgilio es el jefe de policía de Febo.

DE LOS *CANTARES*

Hablar de un aspecto específico de la obra de un poeta —en este caso se trataría de los *Cantos* de Pound— equivale, por un lado, a pasar por alto una cuestión fundamental: ¿qué es la poesía? —y por otro, a suponerla resuelta. Existen, en términos generales, dos procedimientos para obviar —si no para resolver— esta disyuntiva crítica. El primero consiste en *analizar* la poesía en función lingüística; de ello es fruto la filología. El segundo, menos fructífero pero más profundo, es el que consiste en *interpretar* la poesía en términos —casi siempre paralelos— de una *figura* mítica. Se obtiene de ello una expresión tan concentrada de la cuestión que nadie vacilaría por un momento en admitir la presencia de Orfeo en el trasfondo de la *Divina Comedia* o la de Odiseo en *Ulysses,* si no fuera porque ese modo de aproximación a la poesía es a veces *demasiado* fácil. Y el caso de los *Cantos* es doblemente difícil de juzgar, ya que su materia es tan rica como su forma, y la resolución crítica con base en uno de los dos procedimientos siempre dejaría una gran parte de la cuestión sin resolver. Tal vez es preciso por ello atacarla de una manera más sentimentalista e inmediata, aplicando uno u otro a discreción, pero sin olvidar que muchas veces, como dice Valéry, la comprensión de un poema, la captación de su significado, nulifica justamente esa substancia por la que el poema *es*. Adentrarnos en esa selva equivaldría quizás a enturbiar el placer que buscan en la poesía los que buscan el que sólo se obtiene de la contemplación de una estructura verbal cuyo sustentáculo es su *pureza*.

El transcurso del tiempo influye naturalmente en nuestras apreciaciones en virtud de que cada vez que las ejercemos se proyectan sobre un nivel diferente de la misma cuestión. En la historia de mi admiración por Pound registro claramente los altibajos de mi disposición espiritual hacia este gran cantor. Puedo decir por ello que de las tres o cuatro veces que he emprendido (y una vez realizado en forma exhaustiva) la lectura de Pound, mi atención se ha afocado a diversas regiones de este vasto continente inexplorado que es la obra, y también la vida, de Ezra Pound. La primera vez que leí su nombre fue, apostrofado de un ferruginoso epíteto dantesco, en la dedicatoria de *The Waste Land*. Mi interés por descifrar el significado de este inquietante poema me hizo saber que Pound había *blue-pencilled* el poema de Eliot; hecho que, cuando yo lo supe (1949), era ya legendario en la historia de la literatura del *entre-deux-guerres,* como llama Eliot a los años veinte y treinta.

Segundo contacto: en una ficha de un diccionario biográfico de la literatura moderna mundial, edición norteamericana, necesariamente anterior a diciembre de 1941, en la que se comentaba ampliamente su vida y su obra, haciendo énfasis en el carácter denodadamente propagandístico en favor del totalitarismo que animaba su actividad de esos años. Se incluía a petición expresa del biografiado y como condición para que su nombre pudiera ser incluido en ese diccionario, impreso al pie de página con tipo microscópico, un extensísimo ensayo de carácter sumamente técnico, escrito por Pound o por un amigo suyo —no recuerdo bien— sobre una doctrina económica utópica llamada *Social Credit*. Leí después, ya con conocimiento de la materia, algunos poemas suyos de la época *imagiste* en antologías generales de poesía inglesa moderna. El primer poema que leí de él se intitula *Dance Figure,* del cual hice una traducción que he perdido. Intenté, también a principios de los años cincuenta, la traducción del primer Canto y, con la ayuda de un jardinero japonés que traducía los ideogramas, fragmentos de otros cantos. Si bien fracasé como traductor, la familiaridad que había obtenido, sobre todo con el lenguaje de los pequeños poemas de la época *imagiste* (¿imagenista?) me permitió darme cuenta de que estaba yo ante un poeta empecinado en desmarañar los cordámenes del lenguaje para ponerlos, en su máxima tensión, a la disposición de una técnica poética. No tardé, por otra parte —y mis primeras lecturas de los primeros treinta *Cantos* me confirmaron en ello, cuando menos por algún tiempo—, en juzgar a Pound un poeta *crítico*; es decir: que su poesía trata del hacer poesía. Era ésta, naturalmente, una apreciación intuitiva, que los diversos "fárragos" que caracterizaban o que van caracterizando las secuencias de los *Cantos* (Odiseo, Adams, Malatesta, historia de China, Mussolini, Lost Generation y "gente conocida de París", "...y de Rapallo", el derecho individual de acuñar moneda, la usura, etcétera, etcétera), pronto desvanecieron, impresión que no era debida sino a la luz que los poemas imagenistas, por medio del lenguaje, proyectaban sobre sólo algunas partes (como la imborrable *imagen* del levísimo chapoteo de la quilla de la góndola cuando un personaje que va en ella es flechado desde un balcón veneciano) de la más vasta estructura de estos cantos que Pound había emprendido y que ya desde 1922 habría de considerar como el gigantesco "empeño poético de toda una vida" al que se consagraba.

La proyección tan vasta que tenía la pretensión de ese empeño personal que, históricamente, se manifestaba ya a todas luces en otras estructuras lingüísticas más accesibles como la obra de Hemingway o *Ulysses,* las que el empeño crítico dentro de la poesía que Pound ejercía había hecho conocidas, que eran infinitamente más accesibles que las que en la *poesía,* estaban manejando ya Pound y otros que un poco después que él, con un alto grado de perfección como e.e. cummings, y que necesariamente permanecen inaccesibles a muchos todavía hoy.

La apreciación de la obra de Pound en términos de "poesía crítica", si bien ilustra algunos puntos aislados de esos poemas, no permite, ni remotamente, desbridar hasta hacerlo perfectamente visible el sistema que subyace a la estructura, el método que está siendo seguido para construirla. Y es que, como quiera que sea, se peca siempre de una aproximación demasiado filologista a la obra poética. ¿Qué significado puede extraer el Profesor Cohen de *El cementerio marino* si Valéry nos dice que ese poema no tiene significado?

La historia de mi relación con la obra de Pound durante la década 1950-1960 estuvo presidida por la adquisición del conocimiento de esa obra, y en un momento determinado, creo que a partir de 1958, por la lectura constante de todos sus libros aparecidos hasta entonces y por la fotografía que Richard Avedon le tomó el día que abandonó los Estados Unidos después de su "dada de alta" del Hospital St. Elizabeth's. Mucho tardé en percatarme, como veremos un poco más adelante, de la extraordinaria importancia que ese documento habría de tener en la dilucidación final de un problema que si no hubiera sido por la aparición de nuevos deslumbramientos a lo largo de los años, me hubieran dado algo así como una clave general acerca de lo que para mí, en ese momento, era "la Poesía", pero que, sin embargo, a pesar de su extremada *particularidad,* era una idea que emanaba claramente de esa imagen y que esclarecía sin dejar lugar a dudas —como me lo confirmó algunos años más tarde la audición de un disco fonográfico— el verdadero sentido de esa escritura.

Al influjo de leves brisas intelectuales —muchas veces portadoras de mensajes perentorios y de gran importancia para quienes escribimos y hablamos castellano en la contigüidad de los que hablan inglés— repasé muchas veces toda la bilis gastada en los maravillosos análisis del espíritu y la cultura estadounidense de *Patria mía,* que fue el primer libro de prosa de Pound que leí, y de *Kulchur, ABC of Reading, How to read, Pavannes and Divagations,* porque buscaba en la prosa de Pound el significado de su poesía, sin darme cuenta de que la posibilidad de poder encontrar en la prosa el significado de la poesía tornaría toda la poesía del mundo innecesaria... ¡e inexistente! Siempre tuve presente, durante esos años en los que, como en éstos, casi nadie sabe lo que está pasando, la famosa hipótesis "de los catorce hombres con una educación clásica..." que Pound había formulado acerca de la historia de los Estados Unidos. Y siempre que escucho a los poetas hablar de política, por un procedimiento de sublimación y de simbiosis trato de imaginar a esos hombres dotados del poder de *nombrar,* detentando la sabiduría y el dominio sobre los hombres, y casi siempre me arrepiento de haberla invocado porque veo escenas de canibalismo intelectual; hombres desnudos devorando las partes destazadas de los cuerpos humanos, "espadas chorreando tinta..." Por eso, cada vez que pienso en ello, los cuadros de Goya que la imaginación evocaba se convierten en imágenes que, como quiera que sea, acaban por hacernos reír. Mi dedicación a Pound culminó, por esos años, con el texto "*Il miglior fabbro*". Las tentativas que había hecho de traducir a Pound me dictaban que el *método* de traducción tal vez residía en el método que el propio Pound empleaba para hacer sus "versiones" de los clásicos o poetas eminentes de ciertas épocas. El análisis detallado del poema de Propercio me hizo patente la existencia de ese método, pero no su naturaleza, ni su desarrollo, ya que encontraba de una manera indudable una identidad, de clima y de tono tan perfecta entre cosas tan infinitamente separadas en el orden real como: *"Exactus tenui pumice uersus eat..."* y *"We have our erasers in order..."* y, sin embargo, tan infinitamente próximas en el orden en el que ambas constituyen la expresión de un sentimiento fundamentalmente atento a la forma o, cuando menos, a la esperanza de la forma que tan exaltadamente y a la vez con tanta melancolía invoca en su poema autobiográfico cuando declara que

...His true Penelope was Flaubert...

que no tuve menos que un movimiento de perplejidad ante la interesante operación de *análisis* que había yo llevado a cabo sin darme cuenta, y que cuando hayamos explicado el verdadero significado de la fotografía de Pound hecha por Avendon, a la luz de la voz de Pound escuchada en una grabación fonográfica, no tiene, verdaderamente, nada de sorprendente, ya que se revela como una imagen lógica del desarrollo de una vocación y de una forma de decir poético.

Traté, durante esos años también, de inscribir la obra de Pound dentro de un patrón estético que permitiera entenderlos. Se hubiera podido invocar un gongorismo —o más exactamente un culteranismo extremado— para definir ese cauce abrumador de los cien *Cantos* de Pound que proponían, a pesar de las secuencias de las que estaba constituido, una unidad que debería de ser encontrada no en la poesía misma, sino, en función de su carácter eminentemente cultural, en la interpretación que de ella se hiciera, nuevamente a la luz del filologismo por una parte, y a la luz del fenomenologismo

—en virtud de las implicaciones de "monólogo interior", que como herencia de Browning tenía— por otra.

Era fácil obtener resultados que esclarecieran los puntos *históricos* que en el curso de la lectura crítica se suscitaran; pero el sentido general del poema seguía teniendo la condición de la conjetura, de la posibilidad irrealizada. Una de las formas de análisis que yo aplicaba a la obra de Pound (porque había comenzado también a aplicarla a la obra de Joyce) era el método llamado de "montaje". El principio de montaje, descubierto para el arte moderno europeo por S. Eisenstein, realizador de *El acorazado Potemkin,* se expresaba muy claramente en el principio que animaba —desde hace más de tres mil años— la construcción —o sintaxis— que rige la elaboración de los signos de la escritura china: Imagen A + Imagen B = Imagen C, que es totalmente distinta de las imágenes A y B. Veía yo entonces en esa magna construcción como un montaje ¿pero un montaje de *qué*...?

Se trataba de un montaje de figuras relativas a la Historia. Se trataba, entonces, como de una magna alegoría mediante la que el poeta designaba, en el orden de las imágenes verbales, a un determinado conjunto o a una entidad específica que estaba fuera del poder designatorio del lenguaje y a los que se podía aludir mediante ese signo construido de los elementos del lenguaje de la poesía. Todos los personajes que el *Annotated Index to the Cantos* consigna discurren por los versos de esa colección con el propósito de ilustrar una volición en el alma del poeta que los anima, de ilustrar un hecho trascendental al que son necesarios en tanto que letras de una metagrafía, pero no en tanto que elementos básicos de *otro* significado que el que su pura forma les confiere. Son en esa medida hechos semejantes a los que la poesía pura preconiza, pero sin la substancia estrictamente palabral que los define, sino dirigidos hacia una realidad que se sustenta en el prejuicio de la historia. Falaces, en resumidas cuentas, también.

Durante la década de los años sesenta me dediqué a hacer dos investigaciones relativas a aspectos de la obra de Pound; una de carácter cultural: la sinología poundiana, y otra de carácter más general acerca del silencio como un medio de la poesía. Ambos temas me habían sido dictados por las circunstancias, el primero como complemento de los estudios de escritura china que hacía entonces y el segundo por el obstinado silencio que guardó el poeta durante esos años. El catalizador común fue la lectura de un ensayo literario íntimamente vinculado a la carrera poética de Pound, quien lo había "descubierto" y editado: *The Chinese Written Ideogram as a Medium for Poetry* de Ernst Fenollosa. El chino "de taza de té" que tanto le habían criticado sus enemigos los sinólogos académicos, se me reveló como una habilidad más de Pound, si no como un aporte a los anuarios técnicos de estudios orientales. En efecto, la naturaleza de la escritura china es tal que existen en ella ya formados (como caracteres) o pueden formarse (como compuestos) signos *visuales* de escritura que corresponden o pueden corresponder a lo que en Occidente y en términos de poesía se llama "la imagen". La imagen se obtiene mediante el empleo de *figuras* (decimos que el lenguaje de la poesía es un lenguaje figurado de la misma ma-

189

nera que decimos que la escritura china está hecha de "figuras"). Esas figuras pueden ser de dos clases: sonoras, conceptuales y sucesivas como en Occidente, y silenciosas, visuales e instantáneas como en China. El empleo que hace Pound de ideogramas instantáneos dentro de un contexto de escritura sucesiva es evidentemente un descubrimiento que puede llegar a tener una gran importancia; no en vano Mallarmé había intentado, ya en 1897, crear un ideograma poético valiéndose de las propiedades visuales de la tipografía y de su disposición en la página con su poema *Un coup de dés jamais n'abolira le hasard* y no estoy muy seguro si los caligramas y sucedáneos hasta la poesía concreta, poemas visuales, etcétera, no son la misma tentativa o un resultado de ella. A partir del Canto LXXXV hasta el CIX que es el último publicado aparecen ya jeroglíficos hieráticos, seguramente empleados con el mismo fin de franquear un acceso inmediato a la imagen. Este procedimiento de escritura requiere forzosamente de formas correlativas de lectura apropiadas a cada clase de figura que se emplea. La versificación irregular siempre me había parecido caprichosa. Lo parecerá mucho menos si se tiene en cuenta en primer lugar el poema de Mallarmé y en segundo lugar el estrecho contacto que Pound ha tenido con la música. Es ésta la pauta que marca con toda claridad la derivación de ese magno cuerpo poético que son los *Cantos* hacia formas de extrema complejidad musical. No en vano, tampoco, el gran poema es rebautizado a partir del Canto LXXXV como *Los Cantares,* acentuando con la denominación española el sentido rapsódico de su obra, sin contar, claro, la composición de una ópera y del Canto LXXV escrito en notación musical y dedicado a Gerhart Muench, con el que había colaborado en la resucitación y edición de música barroca.

Paradójicamente, es la actitud musical la que ilustra muy claramente, si no el sentido, sí el tono de ese silencio. Quién osaría, después de Mallarmé, negar al silencio la condición de elemento poético, si no se la niega a los blancos en la imposición y en la formación de callejones y sangrados tipográficos en la página. Porque lo blanco es al poema lo que el calderón, la *fermata,* la *cadenza,* los silencios de diversa duración que la escritura musical propone, al desarrollo de un discurso, de un *decurso,* suspensiones que se manifiestan visiblemente por la ausencia de escritura dentro del cuerpo ideal del poema. El poeta se convierte en un escultor que juega con los volúmenes, pero también con los vacíos, como el pintor juega con los claros y los oscuros y el fotógrafo con lo blanco y lo negro, con la luz y la sombra, etcétera, etcétera. Después de todo, en ese orden, la música es la disposición de un diseño (designio) de sonidos sobre una urdimbre de silencio para que la *trama* del poema se concluya, como conjunción de plétoras y vísceras en un espacio de ausencia, de silencio y aun de ausencia de silencio.

Es claramente discernible en todo el *corpus* de los *Cantares* no sólo una máxima tentativa de formular el silencio como signo aprehensible al espíritu. El signo de silencio en la escritura musical adquiere, por la voluntad del poeta, una expresión en el orden tipográfico siempre y cuando esté destinada a representar *un movimiento rítmico continuado de la sensibilidad;*

siempre y cuando, de hecho, no pueda ser representado.

La disposición tipográfica del poema —no sólo en sentido horizontal como el curso natural de la escritura occidental lo exige, sino también en sentido vertical sobre la página como lo requiere la conjugación de muchas *voces* en las partituras orquestales— puede muy bien servir de patrón para juzgar estas construcciones que forman una construcción ulterior de enormes dimensiones y están constituidas, a su vez, de estructuras o construcciones mínimas que atañen o derivan de formas estrictamente poéticas —puesto que atañen al contexto irracional del espíritu— son también formas elaboradas de acuerdo a principios retóricos —los únicos que pueden hacerlas, si no inteligibles, sí expresivas de un sentimiento que, por encima de cualquier esclarecimiento, siempre conserva una partícula de irreductible misterio que nos la hace ajena y que es manifiestamente el patrimonio de ese *otro* que es el poeta. No se diluye nunca en la universalidad de su poesía la personalidad del poeta que la *expone,* que la fenomena.

Cuando el poeta hace visible la "imagen" poética, realiza una operación con la luz. La poesía llamada "pura" es, por eso, una poesía acerca de la luz —generalmente acerca de la *cantidad* de luz. Sólo en esos términos puede medirse la luz... o el espacio o el tiempo. Las cualidades siempre son secundarias; corresponden a categorías abstractas, no demostrables. Toda cantidad es rotunda.

Una de mis recientes impresiones de la poesía de Pound —una impresión que deriva naturalmente de mi intuición de la posibilidad de una organización partitural de los *Cantares*—, no podía menos que plantearme la posibilidad de un ambicioso juego de proporciones (*ratii*) implícito en el vastísimo poema. El sistema musical subyacente al modo de versificación tipográfica —ideográfica—, hubiera hecho pensar en ello, sobre todo si se hubiera podido intuir la escritura musical que lo expresaba y que parecía regir, en un orden desconocido, el *ritmo* de las diversas secuencias de los *Cantares*. Acababa yo de conocer, cuando formulé la posibilidad de una interpretación *geométrica* de la poesía de Pound, la esplendorosa tentativa de reducir el universo a su razón numérica mediante el análisis aritmético de las formas que son *susceptibles* en la naturaleza, la prodigiosa *crítica* de la forma: *On Growth and Form* de Sir D'Arcy Thompson, que me había llegado a hacer concebir una novela acerca de la resolución de problemas de geometría y que por ese mismo estímulo me había hecho pensar en la posibilidad irrealizable de obtener información acerca del método de Pound en términos de proporción, es decir, de *ritmo* —aunque esta manera de interpretar el monumental edificio de los *Cantos* apenas si revelaba uno que otro indicio de que se tratara de una construcción pitagórica, y el intento era más bien un reflejo del entusiasmo que el libro de Thompson había despertado en mí por ese tipo de análisis, que del entusiasmo que una visión cada vez más global del poema despertaba en mí por razones que no hubiera sido (ni es) tan fácil extraer de su lectura.

En los veinte años que han transcurrido desde que conocí por primera vez la obra de Ezra Pound lo único que he podido sacar en claro es lo que ya en el nombre general del poema (y en especial en la segunda versión —la castellanizada— del título) es suficientemente claro: que en todo este magno conglomerado de imágenes y figuras el elemento que predomina y en cierto modo contamina de su significado a todos los demás elementos que habían podido ser deducidos por análisis parciales es el del *canto;* el del cantar, forma sustantivada de un infinitivo, sólo posible en nuestra lengua ya que no corresponde al sustantivo absoluto *Canto* en el sentido en que esta palabra se emplea para designar las diferentes partes de la *Divina Comedia,* por ejemplo; ni a la forma imperfecta del sustantivo verbal alemán *Gesang,* de extracción puramente musical; sino que la acción que esa palabra nombra en español tiene, por su forma simbiótica, el poder de transmitir claramente la idea de la actividad que el poeta realiza al hacer el poema, que no es otra cosa que la expresión de esa actividad. Por una parte, ese nombre consigna en términos analíticos un dato relativo a la actividad del hacer poesía: que es una misma cosa *el hacer* que *lo hecho;* que es una misma cosa el hacer poesía y el poema, que la poesía se produce de manera simultánea y sucesivamente en sí a la actividad del poeta que la produce. Por otra parte, la designación *cantar* en su forma sustantiva tiene connotaciones bastante particularizadas, sobre todo por lo que se refiere a la materia de la poesía generalmente llamada de "cantares", y que frecuentemente designan, también, una relación muy específica que, en su realización, el poeta tiene con la realidad. Yo creo que se trata de una relación de actividades. La forma "cantar de gesta" no viene a mientes gratuitamente, porque cantar de gesta denomina específicamente a la actividad poética que consiste en concretar poéticamente otra actividad, la actividad de los héroes humanos o históricos. Connota, también, una forma particular de ser del poeta.

Pound ha cantado las grandes gestas de nuestra civilización y de la oriental en los términos en que esas civilizaciones se nos presentan como la expresión de una magna gesta de equilibrio histórico. Llegados a los límites en los que la relación *guerra* (o hazaña)=hechura no es abordable ya, siento que Pound ha podido discernir el patrón de otras guerras, de otras "gestas" que se desarrollan en planos mucho más turbios que los del combate: en las bolsas de valores, en los bancos contaminados de usura, en las universidades infectadas del desprecio a los clásicos, en las crematísticas de exterminio intelectual y de desprecio al poeta, en las sociedades timoratas que se avergüenzan de rendir el vasto homenaje que los grandes héroes y poetas reclaman desde el ámbito de la tradición histórica en la medida en que ellos han contribuido a realizar ese ideal que Mallarmé había formulado para la poesía en nombre del gran compatriota de Pound que tanto ha contribuido, por medio de su importancia en las letras francesas de la segunda mitad del siglo XIX, Edgar Allan Poe, a "...*donner un sens plus pur aux mots de la tribu*", a permitir que el siglo XX hiciera posible la presencia de un nuevo poeta histórico. Si Pound no es el gran poeta de la Historia del siglo XX, indudablemente lo es de la época que abarcan los años de su primera mitad.

No en vano había yo invocado, en un momento de mi contacto con la obra de Pound, una estética que siendo estrictamente *caligráfica,* yo había supuesto también ser *cinematográfica.* No está ausente de los *Cantos,* a veces, un remoto dejo de las imágenes del Movietone de los años 1937-40, y tal vez en función de ese poder evocativo se puede decir que una hipótesis que hiciera remontar los orígenes de la escritura poética de Pound a la escalinata monumental de Odesa era tan válida como la que podía discernir en aquella famosa escena de *El acorazado Potemkin* los principios que regían la construcción de los ideogramas chinos, y lo mismo validaba una teoría que por el sentido que tenía la denominación de *Los Cantares* de todo el empeño de una vida, naturalmente estaría ligado a una forma que pretendía expresar el verdadero significado de una época como la nuestra. Residía en esa posibilidad toda interpretación de orden histórico que pudiera hacerse de estos gigantescos poemas. Y en ella, también, la de asimilar esta poética a una *cinematográfica.* Es Pound quien clama por un "prose kinema".

Desde los años en que el jardinero Sumada me descifró "rojo" o "ciruela" o "hacha" (debe decirse que no hay un solo grafismo inusitado de escritura ajena a las comúnmente conocidas por todos los lectores cultos —griega o latina— cuyo significado en inglés moderno no esté claramente consignado en el cuerpo "en inglés moderno" que los acompaña); desde los años, pues, en que trataba yo de asimilar la poética de los *Cantos* de Pound a mis propios intereses que fluctuaban, como ya lo he dicho más arriba, entre la escritura china y el silencio como medio de expresión poética, sin contar las posi-

196

bilidades aritméticas y musicales que de acuerdo con otras formas de análisis había yo vislumbrado, y sobre todo desde que había llegado ante mis ojos aquella prodigiosa fotografía publicada en Esquire, obtuve una intuición de la realidad que subyacía a la vasta extensión del poema, y que no tardó en concretarse cuando escuché por primera vez el disco en que Ezra Pound lee el Canto XLV.

Lo escuchado en ese disco correspondía en tan alto grado a lo visto en la fotografía, que lo que el poema *era* verdaderamente, se obtenía por una síntesis misteriosa de varias operaciones de los sentidos que invocaba en todo momento la aparición de una esencia que alcanza a convertir las cosas de la realidad más grosera en formas perfectas, comunicantes de una estructura poética esencialmente sonora: en lo que reside su estrecha relación con la música, pero en la que se evidencia, también, el carácter paradójica y mágicamente *lírico* de esa época.

La voz del rápsoda es eternamente inconfundible. En ello reside la grandeza y la eternidad de las cosas y hechos llamados épicos.

Después de obtenida la conclusión de que los *Cantos* de Pound eran la expresión en tono épico de un poeta que había surgido de las filas de una escuela lírica que Verlaine y Laforgue habían fundado para los poetas del otro lado de la Mancha y que se había puesto a cantar en las palabras de unos versos que Pound no hubiera desechado: "a la manera del tenor que imita la gutural modulación del bajo...", es fácil percibir que la condición misma de su silencio amplifica y subraya la categoría esencialmente lírica dentro de la que el poema parece inscribirse en sus momentos más felices. Esto se debe quizás al hecho de que la "gesta" que se canta no es tan eminentemente crónica, como pudiera pensarse en los términos del *Cantar de mío Cid,* sino que se trata, más bien, de una gesta similar a la que evoca el mito de Orfeo mediante el que la poesía se define como lo que se obtiene después de haber descendido al infierno, es decir: el canto.

POUND EN ESPAÑOL

Tratándose del difícil arte de la traducción de la poesía, que ahora rinde su tributo a una de las más importantes obras de nuestro siglo, los *Cantares* de Ezra Pound, no creo que sea el caso de detenerse a hacer el cotejo sumario de las versiones de Vázquez Amaral con los originales, ya que ello nos llevaría a una discusión similar a la de las fronteras de Hungría por lo que respecta a los límites entre las sutiles categorías de versión, traducción, paráfrasis, transformación y transfiguración que a estas alturas ya figuran en ella. Es obligación del traductor distinguirlas y aunque las formas que no son estrictas merecen todo elogio, creo que estas maneras eluden las verdaderas dificultades en nombre de una sensibilidad, un temperamento momentáneo o de una libertad en la que actúa, esa sensibilidad al trasladar la poesía de una lengua o, lo que es más interesante todavía, de un lenguaje, a otro. En tal caso el sistema de categorías subordinadas se bifurca y se resquebraja en minuciosas particulares, fisuras cada vez más finas. No puedo menos que citar algunas líneas que subrayan esa clarísima diferencia que debe ser establecida antes de emprender el trabajo de traducción: "Señalo... —dice Octavio Paz[1]— ...que también se debería substituir la noción de lengua por la de lenguaje. La lengua de Garcilaso es el español del siglo XVI; su lenguaje es el de los poetas europeos de esa época. No es únicamente un estilo y una visión del mundo sino un repertorio de elementos (un vocabulario, en el sentido amplio), cuya combinación producía ciertas formas arquetípicas: modelos verbales, poemas".

La diferencia entre lengua y lenguaje subraya la naturaleza particularmente difícil de la operación de traslado, dificultad que si no se alcanza a percibir como un problema grave, no deja de ser el punto de toque para la apreciación de trabajos como el que ahora nos ocupa —los *Cantares* de Pound traducidos por Vázquez Amaral— tanto porque han sido vertidos al español en su totalidad como porque su autor se ocupó asiduamente de resolver este problema. Algo nos puede ilustrar acerca del método de traducción de poesía de Ezra Pound la lectura comparativa de las diferentes versiones de un solo verso clásico: el octavo de la primera elegía del tercer libro de las *Elegías* de Propercio que dice:

Exactus tenui pumice uersus eat,

que el traductor de la Loeb Library, H.E. Butler, vierte al inglés como sigue:

Let verse run smoothly, polished with fine pumice.

mientras que el traductor francés, Paganelli, en la colección Budé, exclama, no sin cierto *esprit* a la Maurice Chevalier:

Vive le vers léger, bien poli et limé;

La excelente versión de Rubén Bonifaz Nuño da en español

Acabado con tenue pómez el verso vaya.

Sin embargo Ezra Pound dice:

We have kept our erasers in order.

Lo que traducido literalmente al español da: *Hemos tenido nuestras gomas de borrar en orden,* que aunque trasladada con toda fidelidad no transmite tan claramente el sentido de la traducción de segunda potencia que hace Pound como por ejemplo una de tercera potencia en español como: *Hemos tenido nuestros borradores a mano* (que no es lo mismo que tenerlos en orden) y que puede todavía ser elevada a innumerables potencias más altas o más remotas del original latino a partir de la versión inglesa de Pound en otros lenguajes poéticos; por ejemplo trasladando la cualidad primigenia que Propercio atribuye a la piedra pómez (que es la misma que Pound atribuye a la goma de borrar) al lápiz bicolor según la manera conceptista y no sin evocar de soslayo el famoso "lápiz azul" con el que Pound corrigió *The Waste Land: vaya el verso escrito con las dos puntas,* o también a la espada: *lo que la punta traza el filo recorta,* o traspuesta a una potencia todavía más ele-

201

vada y volviendo a la imagen primigenia: *Vaya, escrito con la goma de borrar, el verso,* etcétera.

Otro tanto de lo que acontece en el orden de la traslación conceptual de la poesía de un lenguaje a otro acontece en la determinación de las coordenadas cronológicas que una traducción tiene que poner en relación. Es evidente que la excelencia de una traducción no siempre es conseguible por la identidad cronológica de los lenguajes entre los que se traslada. En el caso, por ejemplo de la primitiva poesía italiana del "dolce stil nuovo" no desdeña Pound hacerlo a un lenguaje poético prerrafaelista, entre otras cosas porque el equivalente cronológico del lenguaje empleado por los poetas italianos no tiene un equivalente inglés, puesto que esta lengua aún no existía tal y como podemos comprenderla ahora a través del lenguaje poético, o de lo que, para el caso, llamamos así.

La versión de Vázquez Amaral, asistida de una muy especial circunstancia, me ha permitido discernir cuando menos uno de los sentidos que tiene este trabajo de traducción y, creo, también uno de los sentidos que tiene esta obra de Pound que ahora conoce el término de su traslación a nuestra lengua. El caso es que al llegar a mis manos esta traducción al español de todos los *Cantares,* no conocía yo en el original más que hasta el Canto CIX; el resto, hasta la fecha, solamente lo conozco en español. He llegado al Paraíso a través de la laguna. Si en algunas ocasiones anteriores había yo juzgado con cierta dureza las traducciones de Vázquez Amaral, especialmente en función de las que yo mismo había intentado, no puedo menos que reconocer que su versión completa me ha revelado las que ahora considero las máximas virtudes de esta gran obra de la poesía de nuestro siglo. Si bien sigo creyendo que mi traducción del Canto XLV es mejor, estoy convencido de que la traducción completa de Vázquez Amaral es uno de los hechos verdaderamente importantes de nuestro momento literario, porque nos revela no solamente la *totalidad* de este poema sino también su *unidad* intrínseca.

El poema comienza en el momento de zarpar, como en la *Odisea*, y termina, no con un estruendo sino con un suspiro, como en la *Divina Comedia*, en el Paraíso, pasando, claro, como lo requiere el Mito (Cantos Pisanos), por el Infierno.

El poema de Pound se conforma claramente a los cánones inmemoriales de la poesía en la medida en la que reproduce, como todos los poemas dignos de llamarse tales, el signo esencial que le da sentido pero a la vez es otras muchas cosas; junto a su condición nada más de poema casi todas ellas pertenecen a categorías subordinadas... a la de Poema. Yo creo que formalmente el conjunto de los *Cantares* puede ser considerado como una vasta reflexión política, como una crítica a la determinación fundamental del Estado como relación entre el poder y la riqueza, o como una especie de manual de gobierno o de "Vademecum del Príncipe" o "Cómo gobernar". La nota dominante es la relación entre el Estado o Príncipe, acuñador de moneda, y los Bancos, de crédito, de depósito o de ahorro; fuerzas que se equilibran o se identifican, se separan o se combaten; en todos los casos Pound proyecta esta dialéctica hacia las zona más raras del espíritu: la Belleza, la Poesía, y reflexiona infatigablemente acerca de estos temas en los términos que le sugieren (y que él incorpora a su propia escritura mediante un procedimiento de *traducción* bastante complicado) tres instancias históricas más o menos constantes: la de la historia de China en la época de Confucio (cuyas analectas tradujo Pound); la historia de Italia en la época del surgimiento de las ciudades-estado que coincidió con la invención y perfeccionamiento de la *cambiale* (letra de cambio) y la de la historia de la legislación monetaria de los Estados Unidos con referencia especialmente a la época de Franklin, Jefferson, Adams, etcétera. Se trata de una enorme diatriba contra la usura que Pound define reiteradamente como el gravamen impuesto al crédito sin relación con la producción o las posibilidades de producción y que cobra un clímax de tono trágico en el ya mencionado Canto XLV que yo traduje. El carácter parmenídeo de la obra de Pound, que claramente se refleja en la medida en que su traducción se nos da claramente como una obra terminada, hecha, consumada, total, no puede escapar a ningún lector que recorra este periplo con la atención debida a sus excelencias y no a sus fallas. No puedo concebir ninguna excelencia carente de la evidencia inmediata de sí misma, porque en la poesía, se trata, justamente, de que no haya ninguna duda acerca de lo que se dice, de lo que dice el poema en su totalidad, como organismo autónomo de poesía. A este respecto no puedo reprimir el imperativo de una veleidad estadística. La totalidad de la obra de Pound me revela la presencia en ella de una gran cantidad de materia documental; es decir de materia que sirve para rellenar los vanos de la estructura fundamental. El complicado método de traducción al que aludía líneas arriba, no es otro que el que se podría llamar "de injerto" y consistiría en inscribir ciertas construcciones poéticas del lenguaje de una lengua dentro del de otra para que por impregnación sintáctica o fonética unas se impregnen del significado de las otras. Proyectada contra su antípoda simétrica, perdería mucho más peso el *Canto General* que los *Cantares* si ambas obras fueran despojadas del bagaje documental innecesario a la realización nada más que de la estructura del poema; el de Pound es mucho más rotundo que el otro. Creo que este método de injerto es el empleado en el poema *Renga*, escrito en cuatro lenguas del mismo tronco que se entreveran y se traman en una interesante construcción —cuya crítica nos iluminaría acerca de los *Cantares*, obra escrita también en varias lenguas, reducidas (en sentido lógico), por una manipulación habilísima del poeta, a un común denominador del lenguaje poético.

En el orden práctico, las ideas económicas de Ezra Pound se resumen en una utopía inspirada en heteróclitas teorías monetarias, que solamente coinciden en que en el momento de pago todo el capital debe ser exhibido, lo que se traduce en el famoso apotegma poundiano: "No permitas que nadie pague tus deudas con moneda que no lleve grabada tu efigie" (cito de memoria y traduciendo), principio que por lo demás no sería difícil aplicar en la crítica del arte de la traducción de poesía. Ni la obra del poeta ni la obra del traductor constituyen un circuito cerrado; en la del primero se abre un profundo abismo antes de la cima: la ausencia de los Cantos intermedios entre el CXVI y el CXX de los que sólo existe como el rumor —un *ostrakon* del ánfora CXVII, vuelta al *imagisme;* recuperación de la imagen después del viaje. El poeta de "A la salida del Metro" formula

> *El pájaro de Brancusi*
> *en el hueco de troncos de pino*

Está por cerrarse el círculo; torna la imagen del Paraíso resumida en las palabras de Villon, en el canto XLV: *harpes et luthes* (muy equívocamente traspuesto por Vázquez Amaral), pero la obra del traductor está recién nacida; toda su virtud está en su futuro: la consumación del circuito, el cierre del anillo: su posibilidad de ser siempre tangible a la vez que imposible; la de ser siempre exactamente ni más ni menos que un proyecto: el de la tentativa de algo cuya esencia es esa imposibilidad que nos anima a emprenderla, es lo que la define entre una multitud de tentativas similares. La publicación de este libro no es el fin de Ezra Pound en español sino el principio.

Estoy seguro que esta traducción de los *Cantares* no tardará en influir saludablemente en el desarrollo de la poesía en nuestra lengua.

NOTA
1. En *Las cosas en su sitio,* Finisterre edit. México, 1971. p. 30 *et seq.*

LA AUTOCRÍTICA LITERARIA

Arte torpe por excelencia, ya que obliga a cierta parcialidad, la autocrítica implica, también, el riesgo y a veces la necesidad de hablar de la primera persona del singular en la tercera, figura retórica por la que el peso de las propias culpas literarias es arrojado sobre los hombros de ese otro, el escritor en general y en abstracto, al que a veces atribuimos nuestras pasiones cuando no nuestras obras, especialmente si son malsanas unas y defectuosas las otras. En la vida de ese autor de cosas que deseamos ajenas, la obra y la pasión se confunden: nace la autobiografía crítica, en la que los juicios acerca de las cualidades de la obra se confunden con las anécdotas y donde la crítica de sí mismo hace nacer al personaje o al fantasma del que fuimos, del que hubiéramos querido ser o del que tal vez seremos, pero nunca del que somos realmente, aquí, ahora: como si la crítica estuviera más condicionada por el deseo que por el análisis.

La autocrítica tiene, pues, el defecto de convertirse con mucha facilidad en autobiografía cuando el imperativo que la guía debiera ser el de excluir a lo demás, a lo otro, para afocarse sobre el sí mismo que la realiza, posibilidad más allá de la cual pierde su verdadero sentido de intento de valoración del trabajo propio para convertirse en una descripción de los pasos seguidos por el autor para realizar la obra, pero no en una demostración de cómo han sido aplicados los principios por los que la obra nace o se frustra.

La gran paradoja de la autocrítica reside muy acentuadamente en la acepción kantiana de la palabra *crítica*. ¿No es la obra misma el resultado de la actividad crítica que el escritor realiza al crearla? ¿Es la obra otra cosa que lo que somos nosotros? Preguntas que en el orden más general de la crítica literaria y estética se perfilan cada vez con mayor evidencia como preguntas destinadas a no tener respuesta, que en cierto modo no incumben al escritor, sino al filósofo o al crítico, pero a las que el escritor es llevado por las que se hace acerca de sí mismo como escritor. La primera pregunta que se haría el hipotético autocrítico sería: ¿qué tal escribe ése que se llama Yo? —pregunta acerca de cuya imposibilidad hablaré más adelante, pero después de discutir un poco más la cuestión de la variedad de las preguntas que el escritor se hace cuando dialoga como crítico con su yo literario, con su yo público, con su chivo expiatorio.

Esas preguntas son de todo tipo. En un esquema generalizante se reducirían a las mismas que se hacen los filósofos, pero consideradas en particular difieren radicalmente de éstas porque son preguntas que exigen respuestas *ilustradas*. El escritor puede interrogarse acerca de su condición "humana", su condición "moral" o "artística", "nacional" o "política". Sobran los ejemplos que ilustran de una manera literaria las diferentes respuestas que se han dado, aunque no abundan las que se refieren a su condición de escritores. Todas tienen, sin embargo, algo en común: el haber sido reducidas por un procedimiento al que la escritura subyace como instrumento para que, por la aplicación de un método, esa respuesta acerca de la condición moral del escritor se vea claramente ilustrada: es preciso que un joven mate a una vieja usurera a hachazos para que, por la escritura, podamos entender claramente lo que el escritor se está preguntando y lo que su otro yo literario le contesta. Es preciso asistir a la violación de una niña para entender de qué tratan ciertos aspectos de la literatura que crean una íntima relación entre las dos entidades que conforman la imagen del escritor extramuros del taller donde se realiza la creación literaria: el escritor y el hombre; ambas imágenes son igualmente borrosas, sobre todo si se las mira al través de algún lente crítico. Tienen en común, también, el haber sido reducidas por virtud de la escritura a la condición de cosas concretas, transmisibles, reales y literarias. Es sobre todo por esto último por lo que se distinguen de las demás. Son preguntas condicionadas por la posibilidad de una respuesta que pone de manifiesto, antes que la respuesta misma, la habilidad puesta en juego para darla. Son preguntas técnicas.

Tal parece que la autocrítica no podría formularse, ni siquiera como noción abstracta o como conjetura, si no es dentro de un contexto técnico más allá o más acá del cual no tiene significado, porque estaría contaminada de una subjetividad que desvirtúa su función especializada, o de una generalidad que difumina los contornos precisos de la cuestión de que se trata y vuelve imposible (aunque no inimaginable, como veremos más adelante) su realización.

En su expresión más amplia, la crítica de sí mismo equivale a la formulación, de antemano destinada a su propia futilidad, de lo que es la personalidad subjetiva como factor de la creación literaria; pero en ese mismo contexto esos dos elementos, personalidad y literatura, son quizá las nociones más diferenciadas que pueden invocarse para definir una u otra o para definir a una por la otra. Personalidad y literatura tienen poco que ver entre sí y es en esa diferencia en donde nace la pregunta acerca de la identidad del autor y la obra; pregunta plagada de resonancias críticas, desventajosa para el único que puede hacérsela a sí mismo, pregunta por la que queda puesta en cuestión la relación, probablemente de abismo, que hay entre el escritor y su obra.

¿De qué índole es la relación entre el escritor y su obra?, o ¿de qué índole es esa relación cuando el propio escritor se lo pregunta? El doble planteamiento de una misma interrogación no hace más que acentuar la diferencia entre la pregunta planteada desde afuera, es decir desde un punto en el que se inquiere acerca de la relación entre otros dos puntos cualesquiera, y el punto interior desde el que se pregunta uno mismo acerca de la relación que tiene con otro punto cualquiera, como creador o inventor de ese otro punto cualquiera cuya existencia depende de que, a partir de un momento dado, ese punto salga fuera de nosotros y se instale cómodamente *a ser leído por otro.*

El fenómeno de esa traslación —por virtud de la escritura, desde el ámbito mental del escritor en el que tiene una forma totalmente distinta de la que tiene, convertida en lenguaje, la substancia primigenia— hasta un ámbito en el que queda sometida, por la lectura, a un estado de pasividad diferente del que tenía en sus orígenes —tan distinto y tan distante que marca los polos ideales de la literatura: el escritor y el lector, personalidades que tienden a confundirse, paradójicamente, cada vez más conforme la literatura "se va volviendo más subjetiva"—el fenómeno de traslación ensancha el abismo que media entre uno y otro; crea, también, muchas preguntas acerca de la índole de la tarea autocrítica como operación que se realiza antes, entonces o después de la obra, recalcando con ello el hecho de que tal vez la literatura no sea connatural a esa entidad imprecisa por la que definimos al escritor en términos "personales". Si lo fuera no sería un *arte,* sino una facultad, una manía o una enfermedad, formas con las que no sería tampoco —y no es, de hecho— menos interesante, si bien más, por ello, para el lector que para el escritor, el cual no puede considerar a la literatura de otra manera que como el resultado de la aplicación de ciertos principios a la consecución de ciertos resultados, tanto si el lector es concebido como el destino final de la obra que si la obra es concebida como el fin de sí misma.

Siendo la obra resultado por excelencia, el primer problema que se plantea al acometer la autocrítica es el de salvar *a priori* la condición aposteriorística y tautológica de toda crítica, en especial si nos atenemos a la única acepción de la palabra crítica que permite su empleo en forma reflexiva y que la define, para la literatura, para el conocimiento o la estética, como la operación que trata de sí misma. Este carácter áutico se proyecta con demasiada insistencia sobre aquello que ha sido propuesto, en el análisis de la propia obra, como el fin de la autocrítica; como el fin que necesariamente sigue al nacimiento de la obra. Trata, en ese sentido, la crítica de cómo muere la literatura, de cómo toca a su fin una vez traspuesto el umbral por el que la idea ha cobrado forma. Pero en este orden tiene, también, una desventaja enorme: que es necesariamente tardía. Viene después de que la obra ha sido consumada y es por ello parcial e imprecisa, ya que en ella el sujeto y el objeto son la misma entidad.

Pero ¿cómo podría ese escritor que se llama Yo crear una obra sin que para ello empleara o aplicara, al acto mismo de crear esa obra, una potencia que no fuera, ella misma, acentuadamente crítica?, ¿cómo podría ese Yo crear una obra que no estuviera hecha de la substancia de sí misma que el concebirla crea?, ¿de qué podría estar hecha la obra si no de sí misma y de la conciencia de sí misma en su creador?

Sería necesario obtener, no una crítica tardía de la obra, sino una crítica inmediata de la escritura: una crítica que estuviera empleada como método y que se fundara en el esquema "Escribo. Escribo que escribo, etcétera... " Es decir, sería necesario poder verse escribir como procedimiento mismo de la escritura.

212

Pero aun en términos de procedimiento literario no es la misma operación la que el escritor realiza sobre su escritura cuando ejerce la crítica que cuando ejerce la autocrítica. La crítica solamente podría ejercerse desde el interior del escritor hacia el exterior de su escritura una vez que ésta se ha cumplido como obra terminada y completa, pero la autocrítica es la que tiene puesto un ojo en el gato y otro en el garabato; está tan consciente de ser un Yo como de que ése es un Yo que se está escribiendo, que se está cumpliendo en sí mismo en tanto que escritura y en tanto que Yo.

Esta diferencia entre el interior y el exterior del escritor que la crítica parece rechazar y que la autocrítica aceptaría si su imposibilidad no cancelara a la vez la posibilidad precaria de la primera, complica mucho más la cuestión en la medida en que entre los polos correlativos de la escritura, escritor y lector, se yergue de pronto el dios de la tercera persona: el crítico, personaje ambiguo; más ambiguo todavía si se trata del crítico de sí mismo.

¿Quién es?; ¿qué papel representa, en el drama de la escritura, esta *interposita persona* que subvierte el orden entendido de sujeto y objeto y que se instala en el eje de esa dialéctica simplista que supone que solamente hay dos términos en la relación que el texto crea entre el escritor y el lector? Entre ellos media el crítico, figura que participa a la vez de la condición del escritor y de la del lector y que *aprecia*, pone precio. Ya no dialogan nada más el Yo del escritor y el Tú del lector, sino también el Él del crítico que opina desde un sitio impreciso del escenario.

El escritor es el *a priori* o el *ipse* del texto. El lector es el *a posteriori*. Pero de la misma manera en que el crítico es un lector profesional o que su identidad puede confundirse con la del autor —tal es el caso de la autocrítica—, el lector es también un crítico diletante y así ¿quién y cómo ejerce cuál función sobre la verdadera naturaleza del texto? No le queda a la crítica otro camino que el de construir hipótesis o conjeturas anacrónicas acerca de la posibilidad que la escritura hubiera tenido en su propio pasado de haber sido en el futuro otra cosa que la que, de hecho, ya es en nuestro presente.

Es frecuente que la autocrítica revista la forma de un empirismo por el que se pretende recoger y definir lo que se llama la experiencia literaria, con el fin de sistematizar su historia, para formular un Tratado o instaurar una Academia, para desentrañar o perfeccionar por la experiencia los misteriosos métodos que rigen la escritura. Pero hay que advertir que el carácter misterioso del método supuesto no es nada portentoso. En realidad el método no es misterioso, sino ignorado. Una vez desentrañados, casi todos los métodos son bastante sencillos, razón por la que habría que preguntarse si el objetivo inmediato del escritor no es, justamente, el de adoptar un método dictado por su experiencia. Pero si es así, antes de la adopción de ese método el escritor tendría que haberse fijado una meta o un objetivo al que ese método conduciría.

A ese respecto se plantea una de las grandes cuestiones relacionadas con la actividad crítica en el arte: ¿cuál es la distancia que media entre la efectividad de mi método —si es que soy consciente de que lo estoy empleando o si lo estoy empleando conscientemente— y el objetivo que me he propuesto alcanzar?

Desgraciadamente es común que cuando empezamos a escribir literariamente ignoramos la existencia del método, de ese medio que nos serviría para alcanzar los objetivos que nos proponemos, entre otras cosas porque el fin mismo que perseguimos no está claro. En toda la historia de la literatura encuentro pocos casos en los que el fin perseguido y el método empleado están perfectamente precisados desde un principio o son congruentes.

No se puede realizar la autocrítica sin echar una mirada hacia atrás y ver cuál ha sido el camino recorrido; ¿desde dónde?, ¿hacia dónde? Conforme uno escribe se va revelando esa condición mental del mundo en la que, también, conforme se avanza en esa tarea, el abismo que separa el pensar del escribir se va ahondando y la transición del lenguaje como contenido lógico hacia la condición de realidad literaria concreta, objetiva, se hace más difícil. Al principio se trata de escribir *lo que pasa* en el mundo. Conforme se va escribiendo, la realidad que describimos mediante la escritura va menguando y aumenta la condición mental dentro de la que nosotros somos capaces de manipular el mundo y la vida, como si de lo que se tratara en efecto fuera de transmutar esa condición real en una realidad literaria, subjetiva, a expensas de aquello que puede ser descrito mediante las referencias que de lo otro nos dan los sentidos. El problema se traduce entonces en poner la experiencia técnica adquirida en esa labor a la altura de los requerimientos que la tarea literaria tiene en ese momento, aunque sucede frecuentemente que el volumen de la experiencia mental sobrepasa en mucho la capacidad descriptiva de la escritura.

Quedaría, para evitar ejercer la autocrítica de una manera inmodesta o presuntuosa, ejercerla sobre el método que nosotros mismos aplicamos en la creación de obras literarias. Los esquemas de esta operación pueden ser muy variados. Imaginemos, aunque sea un solo instante y a título hipotético, las posibilidades, en el orden de la escritura, de esquemas tales como el de *Robinson Crusoe* para percatarnos de que con la escritura pasa exactamente lo mismo que con el *strip tease* y las películas pornográficas —que tienen un término más allá del cual se agotan y se consuman sus posibilidades de desarrollo, más allá del cual se cumple la operación a la que están destinadas.

Pero existen otras posibilidades: una sería la proyección de la crítica hacia el ámbito de la obra futura; es decir, el establecimiento de un proyecto. Un proyecto, por ejemplo, como el de realizar la identificación de significante y significado. O dirimir la dicotomía, el conflicto que existe entre el proyecto y la realización, entre el proyecto de una novela y esa novela, por ejemplo, mediante una idea estrictamente *verbal*.

La última posibilidad de ejercer la autocrítica es la de ejercerla con un criterio comparativo. En ese sentido se puede comparar lo de entonces con lo de ahora, lo uno con lo otro, lo de aquí o allí con lo de allá, la propia obra con la de los otros y por lo que respecta, por ejemplo, a la novela, el dictado inmediato de los sentidos propone siempre a la creación literaria la hipótesis de una forma irrealizada: la de la experiencia artificial. No está por demás preguntarse si en esta conjetura no está, a su vez, inscrito el sentido verdadero de lo que sería el objetivo terminal de ese género.

El drama literario se expresa en el hecho de que el objetivo que el escritor pretende alcanzar es incognoscible, a no ser que ese objetivo se vaya formulando a medida que la obra literaria se va haciendo, por lo que mientras más cercana está la crítica a la escritura, más efectiva es una y otra, y en ese sentido las condiciones óptimas de una escritura serían las que permitieran realizar una escritura efectivamente crítica. Así el ideal sería el de conjugar, en una sola personalidad creadora, la naturaleza del poeta y la naturaleza del crítico; la naturaleza del que ve y la naturaleza del que es visto. En esa confusión o conjugación de personalidades la barrera que separa lo subjetivo de lo objetivo cae por tierra, y tal vez también caería por tierra esa barrera que separa al significado del significante, con lo que se precisaría, si no el método, sí, cuando menos, la posibilidad de un lenguaje que estuviera al mismo nivel que el de las fuentes de donde nace sólo como forma.

Si el fin de la autocrítica es la búsqueda de esa forma que lleva implícitas todas las posibilidades del lenguaje y que constituye el primer principio en que se funda la posibilidad misma de la escritura, entonces para el escritor el lenguaje es el instrumento; un instrumento cuya empuñadura no siempre se adapta bien a nuestros metacarpos. La opción está en desbastar el mango o en transformar el esqueleto; problema de estructuras o de morfologías muy especializadas que tienen que ver con la forma de la palabra y con los conjuntos que la palabra forma; conjuntos discretos o ambiguos de relaciones entre signos por los que se representa el drama de un personaje enmascarado que aplica la mecánica de la escritura al análisis e interpretación de la realidad, independientemente de que esa realidad esté más acá o más allá de los párpados o de que esa realidad sea la escritura; como si se tratara no ya de una cosa en la que el espíritu, la voluntad y la técnica se conjugan para producir algo, otra cosa o un efecto, sino de una cosa que es el resultado de sí misma.

ÍNDICE

EX LIBRIS

SALVADOR
ELIZONDO

DE TEORÍA DEL INFIERNO Y OTROS ENSAYOS
DE SALVADOR ELIZONDO SE TIRARON TRES
MIL EJEMPLARES   LA COMPOSICIÓN ES DEL
TALLER DEL EQUILIBRISTA   SE TERMINÓ
DE IMPRIMIR EL DÍA VEINTIOCHO DE
FEBRERO DE MIL NOVECIENTOS NOVENTA Y
DOS EN R.R. DONNELLEY & SONS COMPANY
HARRISONBURG VIRGINIA   EN LA CUBIERTA
APARECE JAMES JOYCE EN MIL NOVECIENTOS
CUATRO   DISEÑÓ LA PORTADA ARMANDO
HATZACORSIAN   LA ILUSTRACIÓN DEL EX
LIBRIS ES DE GABRIEL FERNÁNDEZ LEDESMA